世界における話者数トップ 20 言語と日本語

張 麟 声

日中言語文化出版社

まえがき

まえがきは数行で片付けられると思っていたが、コンピューターの前に座ったら、ふいに25年も前の情景が頭に浮かんで、なかなか離れてくれなくなった。25年前の1996年の夏休み、博士論文をほぼ書き終えて帰国したとき、北京の本屋さんで、偶然、戴慶廈・徐悉艱（1992）『景頗語語法』という一冊に出会った。そして、この書籍で、景頗語では日本語の「は」に相当する主題マーカーがふんだんに使われていることを確認した。そのとたん、それまでにすでにある程度形になっていた世界言語への関心が一気に爆発し、興奮の炎が激しく燃えつづけたのだ。

それ以降、中国国内で纏まって刊行されている《中国少数民族语言简志丛书(中国少数民族言語概説叢書)》の59言語のデータや、日本で刊行されている数十言語の文法書を収集して片っ端から読み始めた。また、翌1997年に博士論文を提出してからは、直ちに野田尚史（1996）『「は」と「が」』の中国語訳にとりかかった。中国の主題マーカーを持つ少数民族言語の研究者に読んでもらって、記述をより体系的にして欲しいと思ったためだ。また徐々に、主題マーカー」を初め、「「も」のような同類マーカー」、「存在表現の構文パターン」、「イエス・ノー疑問文の構文パターン」

などのテーマについて、今までに読んだ言語の文法書の範囲のなかで、グリーンバーグの含意的普遍性に相当する仮説を立ててみて、うまく行かない苦しみを味わう思索の日々を過ごすようになった。

そんな状態が約20年間続き、2015年に「言語の類型的特徴をとらえるための対照研究について」(『言語文化学研究　言語情報編』第10号）という論文において、「言語の類型的特徴」というタームを正式に使用し、自分の研究のスタンスを公にした。限られた言語のデータしか触れられないために、言語の普遍性に真っ向から挑戦するのではなく、グリーンバーグの含意的普遍性の一部に相当する言語の類型が有する「特徴」を捉える性格の研究としようと公言したのである。ここで言う「言語の類型的特徴」は、グリーンバーグの含意的普遍性から来ている。グリーンバーグ(1963）"Some universals of grammar with particular reference to the order of meaningful elements" では、VSO言語、SVO言語、SOV言語等の独特の性格が指摘されているが、その個々の言語のタイプの独特の性格を私は「言語の類型的特徴」と読み替えたのである。もっとも、私の言う「類型」は、グリーンバーグが提唱した語順という構文的なファクターだけに限らない。孤立、膠着、融合といった形態的なファクターや、類型論学者のStassen, Leonによるshare-languageとsplit-languageといった分類（Stassen, Leon (1997) *Intransitive Predication* (Oxford: Clarendon Press)）も私にとっては類型なのである。

翌2016年に約30名の仲間の協力を得て、「言語の類型的特徴対照研究会」を立ち上げ、組織的に研究活動を始めた。そして、そのなかで書いた論文「「言語の単純語の形態的タイプと合成語の意味的タイプの相関関係について」（『言語文化学研究　言語情報編』第13号）が、小著『日中ことばの漢ちがい』を出した時にお世話になったくろしお出版の前社長、さんどゆみこ女史の目に触れ、運営しておられるサイトに連載を書いてみないかというありがたいお誘いを頂いた。たいへん嬉しく思い、早速そのお誘いに応じ、昨年9月から12月までの4カ月の間、「話者数トップ20言語と言語数トップ10か国」というテーマで、駄文を綴り続けてきたのである。

そして、この度、その連載の「話者数トップ20言語」に関する部分に手を加え、この小さな書物にまとめることにした。なにしろ我流の言語類型論の論集が活字になるのは、早くても5年先のことになるので、まず「新書」という形で自分の思索の一斑を世に問いたいのである。

上で述べたように、この新書は25年間に渡る私の研究の一側面を示すものである。25年の間、この種の研究を続ける上で多くの方々のお世話になり、一人一人のお名前を挙げると、とても新書のまえがきには合わないリストになってしまう。そこで、とりあえず戴慶廈教授及びさんどゆみこ社長への感謝の気持ちだけをここに記すことにした。戴慶廈教授ご夫妻のご著書との出会い、及びそれからの長きにわたる景頗語についてのご教示がなかったら、私のこの分野での思索はとっくに挫折してしまっていたことであろう。また、さんどゆみこ社長のお誘いがなかったら、この書物がこんなに早く生まれることは間違いなくないのである。

この「新書」は、大学の教養科目の教科書、或いは参考書としても使えるように、工夫してみた。若い世代の方々がこれに接することによって、一人でも多く、世界の言語に対して興味を持てるようになれば、これほど嬉しいことはない。

2021 年 2 月 25 日

張　麟声

目　次

1. 話者数トップ20言語における日本語の順位

日常的に使われるペアの形容詞に「多い⇔少ない」、「大きい⇔小さい」があり、また、そのような形容詞から派生したペアの名詞として、「多さ⇔少なさ」、「大きさ⇔小ささ」がある。ネイティブの方々ならば、おそらく誰もが、「多い（多さ）」、「大きい（大きさ）」が、「少ない（少なさ）」、「小さい（小ささ）」より頻繁に使われると感じるであろうし、そして、この種の語感は、「現代日本語書き言葉均衡コーパス」という現在最大のコーパスによって立派に裏付けられている。

「現代日本語書き言葉均衡コーパス」を使って、上述の形容詞2対4語、派生名詞2対4語について調べると、以下のような使用実態が明らかになってくる。

表1

単語	使用数	単語	使用数
多い	33128	少ない	9469
多さ	415	少なさ	107
大きい	9761	小さい	6869
大きさ	6090	小ささ	83

この使用実態は、人々は何かの時に常に自分側の属性が「多い・大きい」ことを誇りに感じることと無関

係ではなかろう。人間はどうも「少ない・小さい」より、「多い・大きい」方に価値を置くのである。

この人間社会の心理的傾向を確認したうえで、私の心に残っているエピソードを一つ紹介したい。日本語の話者数に関する緊張感のあるものである。

1990年代の高等学校国語科「現代語」教科書の2種類に、日本語は話者数の多さにかけて世界の諸言語中第6位を占めるという記述があり、それに着目した日本語学者の田野村忠温氏が、「日本語の話者数順位について—日本語は世界第六位の言語か？」という短信を1997年の『国語学』第189号に載せて、批評する。

短信では、第6位という情報は確かなものではないと主張し、確かではない情報がいかに転々と引用され、本来信頼性が求められるはずの教科書にまで載るようになったかを問題にする。そして、まとめの節の「四　おわりに」において、「金田一は、前掲書（金田一春彦『日本語 新版(上)』—著者）で「それにしても日本語が六位とは見事である」と日本語を讃え、その後国語学会編『国語学の五十年』(武蔵野書院、一九九五年)所収の「世界の中での日本語」においても「日本語は(中略)世界の言語の中で第六位、地球上の人間五十人に一人は日本語を話しており、豪気なものである」と同様の発言を繰り返している。日本語の使用者人口の多さを日本人として誇らしく感じる心理は当然理解できるが、それにしても、事実の裏付けを欠いた"日本語世界第六位説"が金田一のような高名な学者による魅力的な読み物を通して堂々と流され続けるばかりか、高等学校の国語の教科書に掲載されて毎年毎年全国の教室で教えられるという状況は学問的見地からして大いに問題だと言わざるを得ない。」といささか厳しい口調で締めくくっておられる。

この短信が掲載されたとき、ちょうどわたしは博士学位論文を書き上げて、リラックスしていたところであった。そのために、何回も目を通す余裕があり、最終的には、「日本人として誇らしく感じる」だけではなく、日本語の研究者の端くれである私だって誇りに感じていたよとつぶやいたほどである。

さて、日本語は第 6 位でなければ第何位だったかというと、短信では、田野村忠温氏は 9 種類の資料を検討し、そのうちの 1 種類だけが日本語の話者数は第 5 位、あとは第 9 位か第 8 位になっているとされていた。つまり第 8 位か第 9 位が妥当だという。そして、世の中はこの短信の主張を受け入れたようである。

ところで、田野村忠温氏が丁寧に検討した 1997 年からすでに 20 年以上経過した、2020 年現在の日本語の順位はどうなっているのであろうか。

まず田野村氏が使用した 9 種類の資料から検討して

みたが、その資料を氏が (1a)、(1b)、(2a)、(2b)、(2c)、(3a)、(3b)、(4)、(5) と表記していることからも分かるように、9 種類と言われているものの、本来は以下の 5 種類でしかなく、その一部に再版や翻訳が出ているから、そういった数も勘定に入れて、9 種類とされたようである。

(1) Charles F.Voegelin and Florence M. Voegelin Classification and Index of the World's Languages (Elsevier,1977)

(2) Kenneth Katzner The Languages of the World (Routedge & Kegan Paul, 1977)

(3) David Crystal The Cambridge Encyclopedia of language (Cambridge University Press, 1987)

(4) George L. Campbell Compendium of the World's Languages 2 Volumes (Routledge, 1991)

(5) Hadumod Bussmann Routlede Dictionary of Language and Linguistics (Routledge, 1996)

この 5 種類の資料を含めて、関連のありそうな出版物に当たったところ、5 種類とも田野村忠温氏が参照した以降に新版や改訂版が出ていないこと、現在頼りにできる記述は *Ethnologue: Languages of the World* の 1 つ以外にないことが分かった。

この *Ethnologue: Languages of the World* は、キリスト

教系の少数言語研究団体国際 SIL が、1951 年から刊行し続けてきている世界の言語誌であり、数年に必ず一度改版されてきているようで、現在オンライン（https://www.ethnologue.com/）に出ているのは第 23 版である。

これによると、世界における話者数トップ 20 言語は、以下の表 2 のようになっており、日本語は第 13 位に位置づけられている。ちなみに、表 2 における英語や英数字だけが本来のもので、括弧のなかの日本語による言語名や話者数の表示は筆者が付けたものである。

表 2

言語名	話者数
1 English（英語）	1268 M（12 億 6 千 8 百万）
2 Mandarin Chinese （< 北京官話 > 中国語）	1120 M（11 億 2 千万）
3 Hindi（ヒンディー語）	637 M（6 億 3 千 7 百万）
4 Spanish（スペイン語）	538 M（5 億 3 千 8 百万）
5 French（フランス語）	277 M（2 億 7 千 7 百万）
6 Standard Arabic （標準アラビア語）	274 M（2 億 7 千 4 百万）
7 Bengali（ベンガル語）	265 M（2 億 6 千 5 百万）
8 Russian（ロシア語）	258 M（2 億 5 千 8 百万）
9 Portuguese（ポルトガル語）	252 M（2 億 5 千 2 百万）
10 Indonesian （インドネシア語）	199 M（1 億 9 千 9 百万）
11 Urdu（ウルドゥー語）	171 M（1 億 7 千 1 百万）

12 Standard German（標準ドイツ語）	132 M（1億3千2百万）
13 Japanese（日本語）	126 M（1億2千6百万）
14 Swahili（スワヒリ語）	99 M（9千9百万）
15 Marathi（マラティー語）	95 M（9千5百万）
16 Telugu（テルグ語）	93 M（9千3百万）
17 Turkish（トルコ語）	85 M（8千5百万）
18 Yue Chinese（〈粤〉中国語）	85 M（8千5百万）
19 Tamil（タミル語）	84 M（8千4百万）
20 Western Punjabi（パンジャーブ語）	83 M（8千3百万）

1997年の田野村忠温氏の短信から23年経過し、日本語の話者数は13位にさがったようだが、その理由の一つは人口変動の結果によるものと考えられる。

総務省統計局の【令和2年3月1日現在（確定値）】としての総人口は1億2596.2万人で、一方、【令和2年8月1日現在（概算値）】としての総人口は1億2593万人とされている。このように、日本の人口＝日本語の話者数は近年来減少する傾向にある。

Ethnologue: Languages of the World において、日本語の話者数は1億2600万とされているのに対して、今年3月1日の総人口の確定値が1億2596.2万人だから、日本語の話者数をけっして過小統計しているわけではないのである。

もっとも、ほかの理由も考えられるが、その続きは次節で述べる。

2. 話者数の順位確定に関わる2つのファクター

表2における第2位の「Mandarin Chinese（<北京官話>中国語)」と第18位の「Yue Chinese（<粤>中国語)」を見て驚いた方がいるのではないか。なにしろ、私のように、生まれてこの方、ずっと「Yue Chinese（<粤>中国語)」が「Mandarin Chinese（<北京官話>中国語)」を代表とする中国語の一方言だと見てきている人がけっして少なくないと思うからである。ここで私たちにつきつけられたのは、何が言語で、何が方言かという言語と方言を区別する基準だが、実は、言語なのか、方言なのかを判別する完璧な基準はどこにもなく、研究者は、話者の間にコミュニケーションが可能かどうかという言語レベルの基準と同時に、国家や民族レベルの要素も参考にして作業しているようなのである。

例えば、前節であげた表2における第3位のヒンディー語と第11位のウルドゥー語は、インドとパキスタンがまだ一つの国だった1940年ころまでは、ヒンドゥスターニー語と呼ばれる、正真正銘の一つの言語であった。それが、その正式な表記を、デーヴァナーガリー文字にするかそれともアラビア文字にするかという論争が、ヒンドゥー教徒とイスラーム教徒との間でまず起きる。そして、数年後の1947年に至っては、インド・パキスタンが分離独立して、二つの国になり、その後、デーヴァナーガリー文字とアラビア文字とによる表記の違いに加えて、異なる言語政策によって語彙も一部異なってきたために、ついに完全に二つの言語として見られるようになってしまったのである。本来1つの言語だったから、文法や基本語彙はほとんど同じであり、話者間の相互理解は十分に可能であるので、コミュニケーションができるかどうかという基準で測れば、1つの言語のはずだが、政治的理由により、2つの言語として取り扱わなければならなくなったのであろう。

言語が2つの国のものに別れてしまっていれば、*Ethnologue: Languages of the World* もさすがに政治的な配慮をしていると考えられるが、1つの国の中になると、*Ethnologue: Languages of the World* はどうもコミュニケーションが可能かどうかという基準を大事にするようである。そのために、普通私たちが1つの言語として考えている中国語を、Chinese, Gan（赣）、Chinese, Hakka（客家）、Chinese, Huizhou（惠州）、Chinese, Jinyu（晋）、Chinese, Mandarin（北京官话）、Chinese, Min Bei（闽北）、Chinese, Min Dong（闽东）、Chinese, Min Nan（闽南）、Chinese, Min Zhong（闽中）、Chinese, Pu-Xian（蒲仙）、Chinese, Wu（吴）、Chinese, Xiang（湘）、Chinese, Yue（粤）という13言語として見なし、そして、その中のChinese,

Mandarin（北京官话）を第2位、Chinese, Yue（粤）を第18位と位置付けているのである。

ちなみに、いわゆるChinese, Yue（粤）は、普通は中国語の「粤方言」と呼ばれ、略称が「粤」である広東省を中心に、海南省、広西チワン族自治区、香港やマカオなどで話されている。

以上、トップ言語の順位を決める際のファクターの1つである「言語か方言か」ということについて述べた。もし、第2位の「Mandarin Chinese（〈北京官話〉中国語）」と第18位の「Yue Chinese（〈粤〉中国語）」を一つの言語と見なせば、トップ20言語の顔ぶれに新しい顔が加わることになるであろう。

以下、続けて、言語の順位の確定に関係する2つ目のファクターについて述べる。*Ethnologue: Languages of the World* の統計に出ている言語の話者数が、その言語を第一言語として使っている話者数なのか、それとも第二言語として使っている人々も入れた話者数なのかというファクターである。一番目の英語を例に検討してみよう。

外務省のホームページに載っている英語5か国の人口は以下のとおりである。

アメリカ：3億2775万人（2018年5月 米国国勢局）
イギリス：6,680万人（2019年）
オーストラリア：約2,565万人
（2020年3月出典：豪州統計局）
カナダ:約3,789万人（2020年1月カナダ統計局推計）
ニュージーランド：約504万人（2019年12月統計局）

わずか5か国しかないうえに、統計を行った年も違い、出典が明らかな国もあれば、そうでない国もあり、さらに、出典が明らかな場合でも、「推計」と書いている国もあればそうでない国もあるではないかと不満を感じる方がおられると思う。しかし、国勢調査は必ずしも世界的に統一して行われるものではない以上、この程度のデータしか使い物にならないということを、理解しよう。

それで、以上の数字を完全に信用して計算するとして、5カ国の人口は4億6313万であり、どんなに誤差を弄っても5億に絶対ならないと誰もが思うであろう。一方、以下に *Ethnologue: Languages of the World* の表2を再掲するが、この表では、英語の話者数は何と12億6千8百万になっている。これは明らかに英語を第二言語として使用する人口を含めた数字なのだと考えられる。

表２

言語名	話者数
1 English（英語）	1268 M（12 億 6 千 8 百万）
2 Mandarin Chinese（〈北京官話〉中国語）	1120 M（11 億 2 千万）
3 Hindi（ヒンディー語）	637 M（6 億 3 千 7 百万）
4 Spanish（スペイン語）	538 M（5 億 3 千 8 百万）
5 French（フランス語）	277 M（2 億 7 千 7 百万）
6 Standard Arabic（標準アラビア語）	274 M（2 億 7 千 4 百万）
7 Bengali（ベンガル語）	265 M（2 億 6 千 5 百万）
8 Russian（ロシア語）	258 M（2 億 5 千 8 百万）
9 Portuguese（ポルトガル語）	252 M（2 億 5 千 2 百万）
10 Indonesian（インドネシア語）	199 M（1 億 9 千 9 百万）
11 Urdu（ウルドゥー語）	171 M（1 億 7 千 1 百万）
12 Standard German（標準ドイツ語）	132 M（1 億 3 千 2 百万）
13 Japanese（日本語）	126 M（1 億 2 千 6 百万）
14 Swahili（スワヒリ語）	99 M（9 千 9 百万）
15 Marathi（マラティー語）	95 M（9 千 5 百万）
16 Telugu（テルグ語）	93 M（9 千 3 百万）
17 Turkish（トルコ語）	85 M（8 千 5 百万）
18 Yue Chinese（〈粵〉中国語）	85 M（8 千 5 百万）
19 Tamil（タミル語）	84 M（8 千 4 百万）
20 Western Punjabi（パンジャーブ語）	83 M（8 千 3 百万）

英語はさておいて、ほかの言語に関しても、同じ取り扱い方をしているのではないだろうか。このことを検証するために、今度は逆の順序、つまり順位の下のほうから一言語を選んで調べてみる。順位の下の方が第二言語として使用する人口を含んでいない可能性が何となく高いと思うからである。

順位の一番低い20番から見ていくが、20番も19番、18番も国の公用語ではないために、外務省のホームページにその人口数が載っていないゆえ、検証に使えない。そこで、17番目のトルコ語で検証を行うが、トルコ語の話者数は上述の表2では8千5百万となっているのに対して、外務省のホームページに載っている人口は「83,154,997人（2019年、トルコ国家統計庁）」なのである。つまり、話者数は人口より約180万人も多いのである。

となると、トルコ語を第二言語として使用している話者も話者数に入れていると見なしたいが、傍証を得るために、役に立ちそうな文献に当たったところ、運よく林徹(2013)『トルコ語文法ハンドブック』に出会った。次の2つの引用を読んでいただければ、読者のみなさんも喜んでくださるであろう。

「トルコ語を話す人々の大部分はトルコ共和国に暮らしている。その人口は7562万人（2012年末)、すくなく見積もっても6000万人以上がトルコ語を話していると思われる。(略—筆者)トルコ共和国の隣のブルガリアやギリシアにもトルコ語を話す人々がいる。特にブルガリアでは、合計約100万のトルコ系住民が暮らしていて、多くはブルガリア語とともにトルコ語も話す。さらにドイツには、約250万人トルコ系の移民の人々が住んでいる。(略—筆者)トルコ共和国以外の地域で話されるトルコ語には現地の言語の強い影響が見られる。コードスイッチング(複数の言語を同じひとつの会話の中で切り替えて使うこと)も、トルコ語と現地の言語の二言語を話す同士の会話では普通に起こる。」(p.13)

これで、トルコ語は『エスノローグ』(2009年版)の時から、第二言語話者の人数で勘定されていることが裏付けられたが、林徹(2013)の面白い叙述をもうすこし引用させていただく。

「『エスノローグ』(2009年版)という世界の言語の年鑑では、世界第9位の日本語には及ばないが、主にパキスタンで話されるウルドゥー語に続き、第21位にランクされている。とはいえ、何をひとつの言語とするかは難しい問題だ。互いに通じない方言を含んでいても中国語はひとつの言語と数える一方で、かなりよく通じるノルウェー語とスウェーデン語が別々の言語として数えられたりする。トルコ語の場合も、もし隣のアゼルバイジャン語といっしょにすれば、第13位のテルグ語か第14位のベトナム語辺りまで順位が上がる。また、2008年のトルコ語の人口増加率は約13パーセントで、平均年齢は28.5歳と若い。今後トルコ語を話す人は、急速に増えることが予想される。」(p.17)

ここで言う『エスノローグ』は他でもなくわたしたちが使っている *Ethnologue* のことである。もっとも、林徹教授が使ったのはその2009年版で、私たちが2020版を頼りにしているという違いはある。だが、まさにこのバージョンの違いが私たちにいろいろなことを語ってくれる。以上の引用を通して、私たちには少なくとも、次の数点に関して知見を深めたことになるであろう。

⑴　*Ethnologue* の2009年版では、日本語は第9位で、トルコ語は第21位であった。

⑵　*Ethnologue* の2009年版では、2020年版における第2位の「Mandarin Chinese（< 北京官話 > 中国

語）」と第18位の「Yue Chinese（〈粤〉中国語）」は、一つの言語として扱われていた。

⑶　「2008年のトルコ語の人口増加率は約13パーセントで」あり、そのようなパーセンテージに基づいて考えれば、人口が、2012年末の7562万人から外務省のホームページの2019年の83,154,997人に増えたのは、けっして不思議なことではない。

⑷　「その人口は7562万人（2012年末）、すくなく見積もっても6000万人以上がトルコ語を話していると思われる。」という述べ方の背景には、「少数派の民族としては、クルド人、アラブ人、ラズ人、ギリシャ人、アルメニア人、ヘムシン人、ザザ人、ガガウズ人などが共和国成立以前から東部を中心に居住している。特に、クルド人はトルコ人に次ぐ多数派を構成しており、その数は1,400万から1,950万人といわれている。」（トルコ - Wikipedia）ということがあるからである。

⑸　第一言語の話者の統計は、基本的に不可能なのである。

この数点を頭に入れたうえで、前節の田野村忠温氏の作業を振り返ると、知的な興奮を覚える。1997年に田野村忠温氏は、検討した資料のうちの1種類だけが日本語の話者数は第5位、あとは第9位か第8位になっているとされていたが、現に *Ethnologue* の 2009 年版では、日本語は第 9 位となっていた。これはけっして偶然的なことではなかろう。もっとも、2020 年版では 13 位に下がっているが、年の増加率が約 13 パーセントのトルコ語と比べると、使用人口が減少傾向にある日本語のことだから、寂しくはあるものの、納得できないことではない。

また、日本語に関しても、トルコ語に関しても、*Ethnologue* の話者数が両国の人口より多いとなっているのは、第二言語として使用している話者も統計に入れていると考えると、直ちに頷ける。そもそも、第一言語として使っている話者の正確な統計は日本国内でさえないのではないか。私自身は第一言語は中国語だが、国勢調査の総人口を日本語話者とカウントするならば、日本国内の人口に入れられているであろう。

Ethnologue における話者数が、第二言語として使用している話者も入れた数となると、本書も同じ視点から考えていくしかない。そうなると、話者数トップ 20 言語が国の国語または公用語になっているかどうかという視点が必要となってくる。これから、この視点から見ていくことにする。

3. 話者数トップ20言語における「飛地型」、「地続き型」と「一国内型」

話者数トップ20言語の、国語や公用語に関わる「言語的位置づけ」は一様のものではない。一番目の英語や二番目の中国語から見ていくと、少なくとも、次の3種類に分けられるのである。

Ⅰ.「飛地」を含む複数の国の国語や公用語になっているもの
Ⅱ.「地続き」の複数の国の国語や公用語になっているもの
Ⅲ.一国内に収まっているもの

20言語をこの3タイプに正確に振り分けるには、世界各国の国語や公用語に関するデータが必要なのだが、見つからなかった。そこで、外務省のホームページにおける「国・地域」の「基礎データ」の中の「言語」を参考にして、自作することにした。もっとも、外務省のホームページのデータを100%信じたわけではない。そこで、そのデータを『ウィキペディア(Wikipedia)』の関連項目と比較しながら、使うことにした。両者が合っていればよいが、合っていなければ、参照できるものを使って調べることにした。

このようにして確定した世界各国の国語、公用語のデータに基づいて、話者数トップ20言語を検討したところ、次のように3つの大分類、さらに5つの下位分類に分けられることがわかった。。なお、本稿で言う国語や公用語は、まず憲法で国語や公用語として決められているケースを指すが、憲法で正式に決められていなくても、他国の国語や公用語並みに使われていれば公用語と見なすことにする。

I　飛地型

言語が本国に加え、本国から地理的に離れた別の国でも、国語や公用語になっていれば、「飛地型」と見る。さらに、飛地の国が、本国と同じ「洲」なのかどうかによって「本飛地型」と「亜飛地型」に分けることにした。後述するように、これらを別の分類としたのは、話者数トップの大言語になる文化的背景が完全に異なるからである。

I -1　本飛地型

以下の4言語が本飛地型である。本国はヨーロッパだが、アジア、大洋州、北米、中南米、中東、アフリカ（以上、外務省のホームページにおける「国・地域」順）などの国々の国語、公用語にもなっているからである。

1）English（英語）

4）Spanish（スペイン語）

5）French（フランス語）

9）Portuguese（ポルトガル語）

Ⅰ-2　亜飛地型

以下の3言語を亜飛地型とする。

2）　Mandarin Chinese（＜北京官話＞中国語）

　　＋ 18）Yue Chinese（＜粤＞中国語）

19）Tamil（タミル語）

前2者を並列ではなく、「2）Mandarin Chinese（＜北京官話＞中国語）＋ 18）Yue Chinese（＜粤＞中国語）」のようにしたのは、続く節で述べるように、その飛地的性格を論じるときに、一言語として取り扱わなければならないからである。

Ⅱ　地続き型

地続き型には次の5言語が含まれる。地続きである2つ以上の国の国語か公用語になっているからである。

6）Standard Arabic（標準アラビア語）

8）Russian（ロシア語）

12）Standard German（標準ドイツ語）

14）Swahili（スワヒリ語）

17）Turkish（トルコ語）

Ⅲ　一国内型

話者数トップ20言語の内、1つの国の国語か公用語として用いられている言語を「一国内型」と呼ぶ。一国内型言語は、その言語の「文化」的性格から、さらに東アジア・東南アジアの一強型と南アジアの多強型に分けられ、その結果は以下のように、前者2言語と後者6言語となる。

Ⅲ-1　東アジア・東南アジア一強型

東アジア・東南アジア一強型には次の2言語が含まれる。インドネシアのインドネシア語と、日本の日本語である。

10) Indonesian（インドネシア語）

13) Japanese（日本語）

一強というイメージは、誰の目にも明らかだが、そのようになった文化的背景に関しては、追って紹介する。

Ⅲ-2　南アジア多強型

次の6つの言語を南アジア多強型とする。

3）Hindi（ヒンディー語）

7）Bengali（ベンガル語）

11）Urdu（ウルドゥー語）
15）Marathi（マラティー語）
16）Telugu（テルグ語）
20）Western Punjabi（パンジャーブ語）

現在のインド、バングラデシュとパキスタンとは、1947年までは一つの国であった。そのとき、3）Hindi（ヒンディー語）、7）Bengali（ベンガル語）、11）Urdu（ウルドゥー語）のいずれもインドという国の言語だった。三カ国になってから、7）Bengali（ベンガル語）、11）Urdu（ウルドゥー語）はそれぞれバングラデシュとパキスタンの国語になったが、同時にインドの州レベルの公用語でもある。それに対して、15）Marathi（マラティー語）、16）Telugu（テルグ語）、20）Western Punjabi（パンジャーブ語）は、1947年のインド・パキスタン分離独立以前も以後も一貫して、インドの国内の言語であり、現在ではインドの州レベルの公用語である。また、それだけではなくて、亜飛地型に入れられている19）Tamil（タミル語）も後者と同じである。従って、国として考えるよりも、パキスタン、インド、バングラデシュを含む南アジア大陸でどうしてこんなにも話者数が多い言語を生んだのかについて考えてみる必要がある。いずれ折りを見て追究したい。

最後になるが、なぜわざわざ莫大な労力をかけてこのような分類するのかと、不思議がる方がいるかもしれないが、話者数トップ 20 言語を知るだけではなく、そのような大言語に成長した文化的背景を知って初めて、世界の言語を立体的に把握できることになる。そのような文化的背景を探るための、一番基礎的な作業として、分類をまず試みた。以降、タイプごとの文化的背景を探ることにする。

4. 話者数トップ 20 言語における「飛地型」のなかの「本飛地型」

本飛地型には、次の 4 言語が含まれる。

1） English（英語）

4） Spanish（スペイン語）

5） French（フランス語）

9）Portuguese（ポルトガル語）

では、なぜこの 4 言語が「本飛地型」になったのだろうか。以下の、福井範彦 (2008)『興亡の世界史 13 近代ヨーロッパの覇権』の第一章の細目（一部―筆者）が、その理由を語ってくれているように思われる。

「第一章　グローバル化への先導

「大航海時代」とヨーロッパの海外膨張開始

ポルトガルのアジア交易参入／スペインによるアメリカ支配の開始／「幻想の東洋」の吸引力

仁義なき貿易戦争の時代

新興国オランダの急迫／イギリス、フランスの大西洋世界への進出／イギリスとフランスの覇権抗争」（目次の p.1）

ポルトガルとスペインが先に「海外膨張」を開始、そして、オランダ、イギリス、フランスがそのあとを追った。この時点では、併せて5か国だったが、オランダの植民地であるインドネシアが20世紀に独立して、インドネシア語を公用語としたために、オランダ語は話者数トップ20から外れ、その結果、ポルトガル語、スペイン語、英語、フランス語の4言語になったのである。

4言語がそれぞれ国語または公用語として用いられている国々は以下のとおりである。

1) English（英語）

ヨーロッパ（3）：イギリス、アイルランド、マルタ

アジア（4）：インド、シンガポール、パキスタン、フィリピン

大洋州（14）：オーストラリア、キリバス、クック諸島、サモア、ソロモン諸島、ツバル、ナウル、ニウエ、ニュージーランド、バヌアツ、パプアニューギニア、パラオ、フィジー、マーシャル諸島

北米（2）：アメリカ、カナダ

中南米（14）：アンティグア・バーブーダ、ガイアナ、グレナダ、ジャマイカ、セントクリストファー・ネイビス、セントビン

セント・グレナディーン、セントルシア、ドミニカ国、トリニダード・トバゴ、トンガ、バハマ、バルバドス、ベリーズ、ミクロネシア連邦

アフリカ（22）：ウガンダ、エスワティニ、ガーナ、カメルーン、ガンビア、ケニア、ザンビア、シエラレオネ、ジンバブエ、スーダン、セーシェル、タンザニア、ナイジェリア、ナミビア、ボツワナ、マラウイ、南アフリカ、南スーダン、モーリシャス、リベリア、ルワンダ、レソト

4） Spanish（スペイン語）

ヨーロッパ（1）：スペイン

中南米（18）：アルゼンチン、ウルグアイ、エクアドル、エルサルバドル、キューバ、グアテマラ、コスタリカ、コロンビア、チリ、ドミニカ共和国、ニカラグア、パナマ、パラグアイ、ベネズエラ、ペルー、ボリビア、ホンジュラス、メキシコ

アフリカ（1）：赤道ギニア

5) French（フランス語）

ヨーロッパ (3)：フランス、モナコ、ルクセンブルク
北米 (1)：カナダ
中南米 (1)：ハイチ
アフリカ (15)：ガボン、カメルーン、ギニア、コートジボワール、コモロ、コンゴ共和国、コンゴ民主共和国、ジブチ、セネガル、チャド、トーゴ、ニジェール、ブルキナファソ、ブルンジ、ベナン

9) Portuguese（ポルトガル語）

ヨーロッパ (1)：ポルトガル
アジア (1)：東ティモール
中南米 (1)：ブラジル
アフリカ (6)：アンゴラ、カーボベルデ、ギニアビサウ、サントメ・プリンシペ、モザンビーク

福井範彦 (2008) では、「海外膨張」や「貿易戦争」などのような言葉を使っているが、現在となっては、植民地を作っていたと誰もが認めていることである。言い換えれば、この4か国が作った植民地国家において、宗主国の言語が公用語として採用されたことによ

り、大言語になっているわけである。以下が、4 言語の現在の話者人口及び本国の人口である。人口のデータは外務省のホームページの「国と地域」によった。

1）English（英語）
話者数 :12 億 6 千 8 百万
本国イギリスの人口：6,680 万人（2019 年）

4）Spanish（スペイン語）
話者数 :5 億 3 千 8 百万
本国スペインの人口：約 4,693 万人（2019 年）

5）French（フランス語）
話者数 :2 億 7 千 7 百万
本国フランスの人口：約 6,706 万人（2020 年）

9）Portuguese（ポルトガル語）
話者数 :2 億 5 千 2 百万
本国ポルトガルの人口：約 1,027 万人（2018 年）

続けて紹介する話者数トップ 20 言語における他のタイプの在り方も、一部は上述「宗主国」が国家が栄えていた時の「政策」と密接な関連性を持つ。したがって、その「政策」の代表例と見られるスペインのホセ・デ・アコスタ（José de Acosta, 1540 年 - 1600 年）の、インディオ文化三類型論をここで紹介しておきたい。アコスタはスペインが最初に手にしたインカ帝国＝ペルーのイエズス会の管区長を務めた人物で、布教を通した植民活動の政策制定に深くかかわっていた。紹介は網野徹哉(2008)『興亡の世界史12　インカとスペイン帝国の交錯』の記載を引用する形で行う。アコスタの言う「インディオ」はヨーロッパ人以外の人々のすべてを指すと考えられる。

第一は、優れた政治や司法の組織を有し、正しい理性を備えた者たちである。とりわけ「文字」を有することによってその文明が特徴づけられる人々であって、その代表的な存在が中国人、ついで日本人がこの類型に入るとされた。これらの人々に対して布教をするときには、けっして強制力が用いられてはならず、彼ら自身の理性と神の内的な働きかけによって、正しい宗教へと導かねばならない。

第二の類型には、文字の使用や成文法は知らぬものの、統治や裁判の仕組みを有し、威厳ある宗教儀式を実践する人々、すなわちペルーやメキシコの先住民社会が含まれる。彼らの宗教には人々を虐げる欠陥もあり、正しい教えに導くためには「力」の使用もやむを得ない場合があるとされる。

そして、最後の類型には、アコスタが「野蛮人」とさげすむインディオが相当する。定住もせず、法や政治システムを持たない獣的な存在である。アメリカの辺境部に生きるこれらの人々の心を改めさせるには、力による矯正が必須なのだ……。(pp.216-217)

この引用から分かるように、当時の植民者たちは、ヨーロッパ以外の地域の、生産力や社会組織の発達の程度によって、異なる布教、植民の方法を使い分けていた。このことは、続けて検討する話者数トップ20言語のほかのタイプを検討するときに、時々触れていくこととする。

5. 話者数トップ20言語における「飛地型」のなかの「亜飛地型」

このタイプの3言語は次のように、並列的なものではなく、前2者を一つの言語として見たほうがよい。

[2）Mandarin Chinese（＜北京官話＞中国語）]
＋ [18）Yue Chinese（＜粤＞中国語）]

19）Tamil（タミル語）

なぜなら、シンガポールの公用語になっているのは確かに「＜北京官話＞中国語」だが、シンガポールの中国系の一部は、実は「＜粤＞中国語」が話されている地域が出身地だからである。言い換えれば、シンガポールの一部の中国系は、共通語と方言という感じで、「＜北京官話＞中国語」と「＜粤＞中国語」を同時に使っているのである。

ここまで読んでいただくと、きっと「シンガポールの中国系の一部」における「一部」という言い方に戸惑いを感じる方がおられるだろう。それは、シンガポールの華人は決して全員広東省が原籍ではなく、福建省から渡っている方もいるからである。

東南アジアという新天地に住み着いた華人は、福建省や広東省といった沿海地域の出身者が多い。沿海地域と言えば、遣唐使(南路)がたどり着く明州（現「寧波」）と蘇州、両州がそれぞれ分属している浙江省も江蘇省も沿海地域である。浙江省や江蘇省あたりは、中国で有名な肥沃な揚子江デルタなので、その土地の人々は、命を掛けて荒波に向かう必要はない。そのために、ここ数百年来、沿海地域である4省のなかで、福建省と広東省だけが華僑の「故郷」になっているゆえんである。

福建省と広東省では、それぞれ福建方言、広東方言というように、一つの方言が話されているわけではない。険しい山々の地域に言語または方言が多いのは世界的な現象で、福建省にも広東省にも互いにほぼコミュニケーションができない方言が複数存在している。すでに2節で、言語と方言の判別基準について述べたように、*Ethnologue: Languages of the World* では、私たちが普通1つの言語として知覚している中国語を13言語と見なしているが、その13言語のうち、何と以下の8つもが福建省と広東省で話されているのである。

福建省（5）：

Chinese, Min Bei（闽北）
Chinese, Min Dong（闽东）
Chinese, Min Nan（闽南）
Chinese, Min Zhong（闽中）
Chinese, Pu-Xian（蒲仙）

広東省（3）：

Chinese, Hakka（客家）

Chinese, Huizhou（惠州）

Chinese, Yue（粵）

方言としては互いに通じないが、8つの方言のどれを母語として持つ人も、肌の色や顔立ちが特に違うわけではない。また、どの方言を話す人も、北京語を共通語と認知しているから、華僑として海外で生活しても、家では方言を話し、中華学校を作ったり、新聞を刊行したりするときには北京語を使うことになる。冒頭のように、2）の「北京官話中国語」と18）の「粵中国語」を1つの言語として見る理由はここにある。

でも、福建や広東の人たちはそんなに海外に渡るのだろうかと不思議に思う方が多いかもしれない。このような方々には、以下の、濱下武志、平勢隆郎編（2015）『中国の歴史　東アジアの周辺から考える』における一節を読んでいただくとよかろう。濱下武志、平勢隆郎編（2015）では、中国を「陸の中国」と「海の中国」とに分けてとらえているのである。

「この中国（陸の中国—著者）の主役が農民であり、一揆、戦乱、征服と王朝交代が周期的に繰り返されるなかで、官僚制度や儒教の伝統が綿々と持続された。この陸の風景と対照的に、もう一つ海の「中国」が存在する。海洋という雄大な舞台に登場するヒーローたちは、農民でもなければ、天下制覇を目指す英雄、あるいは文人や官僚でもなく、むしろ出稼ぎ労働者、移民、商人、船員、海賊、亡命者、留学生などであった。彼らは井戸を掘るのをあきらめ、土地に対する執着さえも捨て、あえてあれる大海原を渡って異国の新天地に活路を求めている。」(p.261)

このように、海の「中国」のさまざまな身分の民は、東南アジアの国々、そして日本にも渡ってくるが、現時点で公用語となっているのは、シンガポールでしかない。考えられる理由は、一つはシンガポールにおいて、「中華系 74%，マレー系 14%，インド系 9%，(2019年 1 月)」(外務省ホームページ) というように、華人のパーセンテージが高い。そして、今一つの重要な理由は、シンガポールの建国の父とされる李光耀（Lee Kuan Yew）さん自身が華人だからであろう。本書のかなり後ろの部分で検討するが、人口のパーセンテージが高くても公用語にならないケースもあるし、人口のパーセンテージが低くても公用語になっている国がある。その国の統治層の考え方や、言語の本国の強さがものを言っているようである。

そろそろまとめに入るが、「亜飛地型」の中国語は、「本飛地型」の英語、スペイン語、フランス語、ポルトガル語などと性格が大きく違う。英語などは、国の力で作ったかつての植民地だった国々で公用語になっているが、中国語は、そうではなく、貧しい沿海地域に住む民が、生計を立てるために海外に移動し、たまたま辿り着いた小さい国でその複数の公用語の一つになっているだけである。

「民が、生計を立てるために海外に移動し、たまたま辿り着いた小さい国でその複数の公用語の一つになっているだけ」ということは、タミル語にも当てはまる。タミル語は、インド最南端のドラビダ語族の一言語で、その話されるタミル・ナードゥ州は、州都のマドラス(現チェンナイ)にいち早く 1639 年に聖ジョージ要塞が作られたことで、世界史にその名をとどめている。海外に植民地を作るどころか、自分の土地が人によって植民地にさせられている民の言語なのである。

ここに来ると、前節触れたホセ・デ・アコスタ（José de Acosta, 1540 年 - 1600 年）の、インディオ文化三類型論が生きてくる。シンガポールを飛び地として持つ「亜飛地型」の中国語やタミル語の話者は、そのインディオ文化三類型論の「第一」にあたるようである。以下、この「第一」を改めて再掲しておく。

「第一は、優れた政治や司法の組織を有し、正しい理性を備えた者たちである。とりわけ「文字」を有することによってその文明が特徴づけられる人々であって、その代表的な存在が中国人、ついで日本人がこの類型に入るとされた。これらの人々に対して布教をするときには、けっして強制力が用いられてはならず、彼ら自身の理性と紙の内的な働きかけによって、正しい宗教へと導かねばならない。」

6. 話者数トップ20言語における「地続き型」のなかの「主従分明型」

地続き型言語は5つで、それぞれの地続きの国は以下のとおりである。

6）Standard Arabic（標準アラビア語）：アラブ首長国連邦、アルジェリア、イエメン、イラク、エジプト、エリトリア、オマーン、カタール、クウェート、コモロ、サウジアラビア、ジブチ共和国、シリア、スーダン、ソマリア、チャド、チュニジア、パレスチナ国、バーレーン、モーリタニア、モロッコ、ヨルダン、リビア、レバノン
8）Russian（ロシア語）：ロシア、ベラルーシ
12）Standard German（標準ドイツ語）：ドイツ、オーストリア、スイス、ベルギー、リヒテンシュタイン公国、ルクセンブルク
14）Swahili（スワヒリ語）：ウガンダ、ケニア、タンザニア、ルワンダ
17）Turkish（トルコ語）：トルコ、キプロス

5種類の言語のなか、8）Russian（ロシア語）と17）Turkish（トルコ語）は、自国では唯一の公用語で、話者が住む隣国では複数の公用語の一つになっている。

具体的に言えば、ロシア語はロシアでは唯一の公用語だが、隣国のベラルーシでは、ベラルーシ語とともに公用語とされ、また、トルコ語はトルコでは唯一の公用語だが、隣国のキプロスでは、ギリシア語とともに公用語になっている。このタイプを本稿では「主従分明型」と名付けておく。

さらに詰めてみたところ、12番目のドイツ語もこの「主従分明型」に入るという結論にたどり着いた。もっとも、主と従の数が違うから、ロシア語とトルコ語を「主従分明型」における「1主1従型」とし、ドイツ語を「主従分明型」における「多主多従型」と考えるべきであろう。

ドイツ語は、ドイツ、オーストリア及びリヒテンシュタイン公国では唯一の公用語で、スイス、ベルギー、ルクセンブルクの3ヵ国では、複数の公用語の1つとなっている。スイス、ベルギー、ルクセンブルクの3ヵ国の公用語事情は次のとおりである。

スイス：ドイツ語、フランス語、イタリア語、ロマンシュ語

ベルギー：オランダ語（フラマン語）、フランス語、ドイツ語

ルクセンブルク：ルクセンブルク語、フランス語、ドイツ語

「多従」、言い換えれば、ある言語が他国の複数の公用語の1つとなっている現象は分かりやすいが、なぜ「主」も複数、言い換えれば、なぜ一つの言語が複数の国の唯一の公用語になりうるのであろうか。この謎を解くには、ドイツ、オーストリア及びリヒテンシュタイン公国の歴史にメスを入れる必要がある。

5世紀後半に西ローマ帝国が滅び、ゲルマン人の一大部族であるフランク人によって、フランク王国が建てられるが、そのフランク王国は、9世紀に東・中・西の3王国に分割され、西フランク王国はフランス王国、東フランク王国はドイツ王国となり、中フランク王国はイタリア王国となっていった。そして、10世紀になると、ドイツ王国の国王は、教皇より戴冠を受け、「神聖ローマ帝国」の皇帝を兼ねるようになった。「神聖ローマ帝国」の皇帝は理念的には西洋世界の普遍的な支配者であるローマ皇帝であるが、実際には、西フランク王国（フランス王国）や中フランク王国（イタリア王国）に対し、号令を発する権限はない。それどころか、自国でも、当時のドイツ王国の国体は中央集権制ではなく、典型的な封建制だったので、国内に諸領邦が「林立」し、少なくとも理論的には、ドイツ王国の国王（＝神聖ローマ帝国の皇帝）は、選帝侯によってその諸領邦の領主から選出される形になっていた。

現在のドイツ、オーストリア及びリヒテンシュタイン公国の国土は、すべて、この時のドイツ王国（＝神聖ローマ帝国）のなかに入っており、現在のオーストリアの土地には、その時点から強い領邦であるオーストリアがあり、オーストリアの王は何世代かドイツ王国の国王、さらに＝神聖ローマ帝国の皇帝を兼ねていた。また、ドイツの前身であるプロセインはドイツ王国の北に位置する有力領邦であった。一方、オーストリアとスイスに挟まれて存在するリヒテンシュタイン公国は 1719 年にはじめてリヒテンシュタイン公国に昇格したのであり、9 世紀、10 世紀には、おそらくオーストリアに属していたか、現在のスイスの土地にあった何らかの領邦に属していたであろう。なにしろ現在で約 38,500 人だから、9 世紀、10 世紀には、たいへん小さかったはずであり、以下は、しばらくこの小さい「主」を不問にして、ドイツとオーストリアだけを問題にする。そして、古いところは良しとして、18 世紀あたりから見ていこう。

「十八世紀の後半から十九世紀の前半の約一〇〇年間は、政治、社会、経済、文化のすべての分野で、ドイツ史全体をとおしてみても、大きな転換期であった。それは「前近代」から「近代」への移行であるといってもよいが、その前半はいわゆる啓蒙の世紀である。大国（ここの

「国」は「領邦」の意味—著者）オーストリアと新興の軍事・官僚国家（この「国家」も「領邦」の意味—著者）プロイセンは、ついに激突の時をむかえた。それは両国にとって、とりわけプロイセンにとって、帝国よりも自邦の「国家理性」を優先したことを物語る。その結果、帝国の国制は「ドイツの自由」から両大国による「二元主義的体制」へと移行した。」

(木村靖二編(2001)『ドイツ史』p.139)

この「二元主義的体制」は、フランスのナポレオン皇帝との戦いを通して、さらに強まった。なにしろ、プロイセンとオーストリアは互いに協力してではなく、別々にフランスと戦う部分があった。結局、どちらも失敗に終わり、プロイセンは「エルベ川以西と第二次・第三次ポーランドの分割で得たすべての領土の放棄、一億二〇〇〇万フランの賠償金の支払い、兵力の四万二〇〇〇人への削減と十五万人のフランスの駐留軍の承認である。」（木村靖二編(2001)p.172)。また、オーストリアは、「ザルツブルクや旧ポーランド領西ガリツィアなどを放棄し、八五〇〇万グルデン賠償金を課せられた。」

（木村靖二編(2001)p.172）

この互いに協力し合わない状況は、1815年11月に、フランスに抵抗するための四国同盟（Quadruple Alliance）が結成される形で、より明らかになった。四国とはイギリス・オーストリア・プロイセン・ロシアのことである。なんとここでは統一したドイツというイメージが完全になくなり、オーストリアとプロイセンはそれぞれ独立した形で、世界と向かい合う形になっていった。

もっとも、オーストリアは、すでに100年前もの1699年のカルロヴィッツ講和条約で、オスマン帝国からハンガリーの全域を奪い、オーストリア・ハンガリー連合君主国（ハプスブルク帝国）を形成させていた。そして、そのことが、一九四八・四九年革命のころに起きた「大ドイツ主義」の機運の失敗に繋がった。「大ドイツ主義」とは、オーストリア・ハンガリー連合君主国のなかのドイツ系が、ハンガリーなど非ドイツ系と分離して、ドイツの中のほかのドイツ連邦諸邦と統合するという当時の議会の議案を指す。比較的に純粋なゲルマンの国を作ろうとしたらしかった。が、当然ながら、オーストリアはそれに乗らなかった。オーストリア・ハンガリー連合君主国（ハプスブルク帝国）という体制をとっており、自国内に、ウラル語を話すハンガリー系やスラブ系があったからである。

一方、プロセインは、そのようなドイツ帝国の立ち上げに精力的に奔走し、到頭 1871 年 1 月 1 日、プロセイン国王がドイツ皇帝と宣言される式典が行われ、帝国の成立を成し遂げた。爾来、ドイツとオーストリアは完全に別々の国になってしまい、また、この場合のドイツ帝国がドイツ語という呼称の根幹を作ったことであろう。

さらに、第一次世界大戦が終了した 1918 年には、オーストリア・ハンガリー連合君主国（ハプスブルク帝国）のなかの、ハンガリー系やスラブ系の民族がそれぞれ独立して、ハンガリーやチェコスロバキアを建国し、ゲルマン系だけが残って、ほぼ現在のオーストリアの形を成した。それが、さらに第二次世界大戦の時のドイツによる併合などを経るが、現在のオーストリア共和国は人口が約 880 万人であり、ドイツの 9 分の 1 強に過ぎなかった。

そして、先ほどちょっと触れたリヒテンシュタイン公国は人口がわずか約 38,500 人程度である。

このように、ドイツ、オーストリア、リヒテンシュタイン公国 3 ヵ国のことを考えると、ドイツ語を唯一の公用語としているという意味では同じだが、普通はどうしてもドイツを代表として見てしまうであろう。その意味では、「多主多従型」を「1 主多従型」と考えられないこともない。

ところで、アラビア語やスワヒリ語は、ロシア語、トルコ語、ドイツ語に比べると、そもそも「主」を立てにくい「主従不分明型」になっている。この「主従不分明型」については、続く 7 で取り扱う。

7. 話者数トップ20言語における「地続き型」のなかの「主従不分明型」

前節では、地続き型言語5つの中の、8）Russian（ロシア語）、17）Turkish（トルコ語）及び12）Standard German（標準ドイツ語）を「主従分明型」とし、また、前2者である8）Russian（ロシア語）と17）Turkish（トルコ語）を「一主一従型」に、後者の12）Standard German（標準ドイツ語）を「多主多従型」に振り分け、その歴史的背景を述べた。

前節で述べたこの「主従分明型」の3言語に対して、地続き型のうちの6）Standard Arabic（標準アラビア語）と14）Swahili（スワヒリ語）に関しては、「主従不分明型」とでも呼ぶことにしよう。「主従分明型」だと、「ロシア・ロシア人・ロシア語」、「トルコ・トルコ人・トルコ語」、「ドイツ・ドイツ人・ドイツ語」のように、三位一体構造をなしているが、6）Standard Arabic（標準アラビア語）と14）Swahili（スワヒリ語）は、そのようにはならないからである。なかでも、アラビア語に関しては、アラビア語＝アラブ人というように「二位一体」を考える事ができるが、スワヒリ語に関しては、スワヒリ国どころか、スワヒリ人というような言い方もない。

では、この2つの言語はなぜ話者数トップ20の大言語になったのだろうか。以下、その歴史的、文化的経緯について、探ってみる。

まず、アラビア語だが、その唯一の公用語としての国と、複数の公用語のうちの一つとして用いられる国といった言語使用の事情は次のとおりである。

〈1〉唯一の公用語としての国 (16)：
アラブ首長国連邦、イエメン、エジプト、オマーン、カタール、クウェート、サウジアラビア、シリア、スーダン、チュニジア、パレスチナ国、バーレーン、モーリタニア、ヨルダン、リビア、レバノン

〈2〉複数の公用語のうちの一つとして用いられる国 (8) 及びその言語事情：
アルジェリア：アラビア語、ベルベル語
イラク：アラビア語、クルド語
エリトリア：ティグリニャ語、アラビア語
コモロ：コモロ語、アラビア語、フランス語
ジブチ：アラビア語、フランス語
ソマリア：ソマリ語、アラビア語
チャド：フランス語、アラビア語
モロッコ：アラビア語、ベルベル語

アラビア語という名称が、アラビア半島から来ていることに疑問を挟む余地はない。以下の小杉泰（2006）『興亡の世界史06　イスラーム帝国のジハード』で述べられているように、7世紀に、ムハンマドがマディーナから軍を起こして、マッカを征服したのち、アラビア半島が統一された事実がある。

「マッカ征服の後、さらにマディーナ政府の支配領域は広がった。ヒジュラ歴九年（六三〇／一年）は「遣使の年」と呼ばれる。アラビア半島の諸部族が次々と使節団をマディーナに派遣し、イスラームに参加したからである。ここに、アラブ諸部族はムハンマドを認め、史上初のアラビア半島の統一もなった。」（p.142）

しかし、小杉泰（2006）でも次のように分析している通り、それは国ではなかった。

「ムハンマドがこの世を去った時の版図を見るならば、彼がアラビア半島の統一者だったことが分かる。通常であれば、「アラビアの王」だったというべきであろう。しかし、彼はいわゆる王ではなかった。彼の支配は王権ではなく、その国家は王国ではなかった。

ムハンマドは新しい社会の建設者であった。社会は国家よりも大きい。政治は、社会の諸機能の一つであろう。その意味では、彼はイスラーム社会を建設しようとしたのであり、政治も統治も、さらに軍事もその一部でしかなかった。」

（p.142）

上述のように、ロシア、トルコ、ドイツなどと違って、アラビアという国名がなかったのはこのような事情による。もっとも、上で指摘したように、唯一の公用語とする国が16、複数の公用語のうちの1つとして用いられる国が8つもあるという現状は、アラビア半島の統一の後に成り立ったウマイヤ朝の征服活動の結果であることに間違いない。だが、ウマイヤ朝は8世紀の終わりころにすでに滅んでいるし、それにとってかわったアッバース朝も13世紀に、モンゴル系のチンギス・カンの西征によって滅ぼされている。その後に、中東や北アフリカにさまざまなイスラーム王朝が生まれては消えていったので、アラビア語の維持と拡大は特定の国の力によってではなく、イスラーム教という宗教の力が大きかったのであろう。

このような事情であるだけに、アラビア語は現存する国々との関係から見ると、「主従不分明型」としてとらえるしかないが、その主従不分明な性格の一層強いのが、14）の Swahili（スワヒリ語）である。アラビア語にはまだアラビア半島という土地があるが、スワヒリ語にはスワヒリという地域さえそもそも存在しないからである。

スワヒリとは、アラビア語で「海岸、水辺、河畔」などを指す「サワーヒル sawahil」という語に由来し、徐々にインド洋交易によって栄えた東アフリカの東海岸の島嶼部都市群を指す意味を持つようになった。そのようなアフリカの東海岸の都市は、主に現在のソマリア、ケニア、タンザニアに分布するが、自国語のイメージが強いソマリアでは、公用語はソマリ語とアラビア語だけで、スワヒリ語が複数の公用語のうちの1つとして認められているのは、現在以下のインド洋側のケニア、タンザニア、及びこの2ヵ国に隣接する陸地側のウガンダとルワンダの、併せて4ヵ国である。そして、その中で、タンザニアのみ、いくつかの公用語のなかの1つではなく、国語とされているために、スワヒリ語の中心地と考えてよいのかもしれない。

ウガンダ：英語、スワヒリ語、ルガンダ語
ケニア：スワヒリ語、英語
タンザニア：スワヒリ語（国語）、英語（公用語）
ルワンダ：ルワンダ語、英語、フランス語、スワヒリ語ただし、タンザニアがスワヒリ語の中心地であると考えてよいのかもしれないが、そのスワヒリ語が直ちにタンザニアの民族語だと断定することはできない。それは以下のような二つの理由による。

スワヒリ語は、バントゥー系諸民族とアラブ系商人の数世紀にわたる交易の中で、現地のバントゥー諸語にアラビア語の影響が加わって形成されている。タンザニアのスワヒリ語だけを他の地域から切り離して「タンザニア独自の民族語」とすることはできない。

また、タンザニアの現在のおもな民族はスクマ人、ハヤ人、ニャキュサ人などで、彼らはそれぞれスクマ語（Sukuma language）、ハヤ語（Haya language）、ニャキュサ語（Nyakyusa language）を話している。スワヒリ語はタンザニアで国語とされてはいるものの、「タンザニアの現在の民族語の一つ」と言うには大きくかけ離れているのである。

以上のような成り立ちを経てきたスワヒリ語は、ピジン言語やクレオール言語と見られるのではなくて、あくまでもバントゥー語群の一言語とされている。それは、アラビア語の影響がいわゆる文化的語彙の借用にとどまっており、構文などの基本はバントゥー諸語のものだからである。

このようなアラビア語とスワヒリ語なので、「主従不分明型」とするのは、おそらく妥当なとらえ方だと言えよう。

8. 話者数トップ20言語における「一国内型」のなかの「南アジア多強タイプ」

Ⅲ　一国内型はその言語の「文化」的性格から、南アジアの多強型と東アジア・東南アジアの一強型とに分かれ、以下のようにそれぞれ6言語と3言語が含まれる。

Ⅲ-1　南アジアの多強型

3）Hindi（ヒンディー語）
7）Bengali（ベンガル語）
11）Urdu（ウルドゥー語）
15）Marathi（マラティー語）
16）Telugu（テルグ語）
20）Western Punjabi（パンジャーブ語）

Ⅲ-2　東アジア・東南アジアの一強型

10) Indonesian（インドネシア語）
13) Japanese（日本語）
18）Yue Chinese（<粤>中国語）

この節では、Ⅲ-1の　南アジアの多強型に限定して述べるが、この多強型に含まれる上述の6言語とも、なんとすべて、「かつてのインド」の言語であった。「かつてのインド」とは、1947年にインド・パキスタンが分離独立する以前のインドのことで、現在のパキスタンもバングラデシュもその「かつてのインド」に含まれていた。この「かつてのインド」にネパールやブータンを加えれば、インド亜大陸そのものになる。インド亜大陸のことを「インド」と呼んで、岡本幸治，木村雅昭編著（1994）『紛争地域現代史③南アジア』では、インダス文明やヒンドゥー文明の後の歴史について、次のように述べる。

「しかし、インドだけを取ってみても、一つの政府の統一的な支配が行われたことはない。仏陀などの自由思想家が活躍した紀元前六〇〇年頃には、主要な国が一六（ここで言う一六か国の一部は現在のパキスタンの領土である—筆者）もあったと、原始仏教典は記している。

その後インド亜大陸には、マウリア朝、クシャナ朝、グプタ朝、ムガル帝国といった王朝が興っては亡ぶ。十三世紀以降のムスリム（イスラム教徒）の亜大陸進出の後を受け、十六世紀に覇権を確立したムガル王朝は、第六代アウランセーブ帝の時に最大の版図を築いたとされるが、それでも全インドの統一には成功していない。

インド亜大陸の全体に支配を及ぼしたのは、海を支配したイギリス人であった。しかし、二世紀近くに及ぶイギリスの支配も亜大陸のすべてを一つの政府の下に管理したのではない。その中には多数の「藩王国」が含まれていた。その数五六二、面積ではインドの五分の二、人口では四分の一を占めていたのである。インド史の主流は、統一よりも分離・並立にあったといえる。

統一後のインドは「多様性のなかの統一」を、ネルー首相以来、スローガンとしている。しかし現代日本のような「統一」の勝った国から見ると、インドもその他の南アジアの諸国も、統一よりも多様性が際立っている。ヨコから見てもタテから見てもそうである。」　(p.6)

これで分かるように、1857年にイギリス政府がムガル帝国の皇帝をビルマに追放し、それまでのインド総督を副王に任命して、亜大陸の五分の三ほどを直接統治することにした時点でも、「かつてのインド」の五分の二の土地には依然として562の「藩王国」が存在したのである。

そのために、インドの独立運動を推進する国民会議派は、1920年代から、統一後のことを視野に入れて、言語に基づく州の再編成までを綱領に掲げた。もっとも、その後、パキスタンの独立などがあって、結果的には2020年現在の、行政区域28州と9つの連邦直轄地域、憲法で連邦政府の公的共通語としてのヒンディー語と英語が決められると同時に、その第8附則においてヒンディー語を含む22の指定言語が定められる状況になっている。

もっとも、指定言語は22とあるが、紙幣の表面にはヒンディー語、裏面には15言語、併せて16言語が使われているだけである。その指定言語22と紙幣使用言語16は以下のとおりである。紙幣使用言語16のうちの、表面に使われているヒンディー語には【　】、その他の15言語には{　}を付けた。括弧を付けていない6言語は指定言語22には入っているものの、紙幣には表示されていないものである。

① {Assamese アッサム語}
② {Bengali ベンガル語}
③ Bodo ボド語
④ Dogri ドーグリー語
⑤ {Gujarati グジャラート語}
⑥【Hindi ヒンディー語】
⑦ {Kannada カンナダ語}
⑧ {Kashmiri カシミール語}
⑨ {Konkani コーンカニー語}
⑩ Maithili マイティリー語

⑪ {Malayalam マラヤーラム語}
⑫ Manipuri マニプル語
⑬ {Marathi マラーティー語}
⑭ {Nepali ネパール語}
⑮ {Oriya オリヤー語}
⑯ {Panjabi パンジャーブ語}
⑰ {Sanskrit サンスクリット語}
⑱ Santali サンタル語
⑲ Sindhi シンド語
⑳ {Tamil タミル語}
㉑ {Telugu テルグ語}
㉒ {Urdu ウルドゥー語}

公的公用語は 2 つではありながら、指定言語が全部で 22、そして、紙幣の表、裏に合わせて 16 も使用されている国はインド以外に聞かない。また、このような多くの言語がともに隆盛する現状の遠因は、歴史上完全な統一がなかったことに求めることができる。そうすると、なぜそのような統一がなかったかが焦点となる。ドイツは、近代になっても 300 以上の領邦があったようだが、鉄血宰相のビスマルクによって統一が果たされた。インドにおいてビスマルクに相当するような強い影響力を持つ近代史上著名な政治家は、マハトマ・ガンディーであろう。だが、ビスマルクの鉄と血に対して、マハトマ・ガンディーがイギリスから独立を勝ち取った手法は、民衆暴動やゲリラ戦ではなく、「非暴力、不服従」という他のどの国でも聞かない方法である。

統一がなかった理由の一つを、ひとまず宗教に求め、インドの宗教史の本をパラパラ捲ったが、このような大きなテーマを、宗教学の門外漢であるわたしが勝手に論述するわけにはいかないと悟り、あきらめた。また、生産力が未発達だったわけでもなさそうである。鉄器時代は、デンマークの考古学者であるクリスチャン・トムセンが、主に使用されていた道具の材料で時代を、石器時代、青銅器時代、鉄器時代と3つに区分したことで有名であり、大航海の時代までは、北米、中南米、オセアニア、アフリカのサハラ砂漠の南側には、青銅や鉄で作られる武器はまだなかったらしいが、インドはそうではないからだ。

謎はやはり歴史学者に残そう。本書では、このインド亜大陸あたりを、言語の多強型と見なしておくだけにとどめておこう。

9. 話者数トップ20言語における「一国内型東アジア・東南アジア一強タイプ」のインドネシア語

前節では、「一国内型」の中の、南アジア多強タイプについて述べたので、本節では東アジア・東南アジアの一強タイプについて考える。

東アジア・東南アジアの一強タイプには、次の3言語が含まれる。

10) Indonesian（インドネシア語）

13) Japanese（日本語）

18) Yue Chinese（〈粤〉中国語）

以下、順位の高いインドネシア語を先に取り上げよう。第7節において、主体民族が拡張をするどころか、主体民族自体が明らかではないスワヒリ語について取り上げたが、そのスワヒリ語にインドネシア語は2つの意味において似ている。1つ目は、主体民族の拡張ではなく、大洋で活発化していた貿易活動がその大言語化のきっかけを作ったこと、2つ目は、公用語として使われている国そのものの形成は、従来の民族間の応酬よりも、植民活動による結果だと言えることである。

もっとも、2つ目に関しては、両言語間に微妙な違いが見られる。スワヒリ語は、ウガンダ、ケニア、タンザニア、ルワンダという４カ国の国語または公用語になっている。要するに、植民地支配が分割支配という形を取られていたので、その痕跡が４カ国の国境線として生きた結果、スワヒリ語の国語、公用語としてのステータスは、４カ国にまたがる形で実現したのである。一方、インドネシア語の場合は、植民者が一統支配という形を取ったので、結果的にインドネシア語を国語とするインドネシアという大国を作ったのである。

現在のインドネシアは赤道にまたがる13,466もの大小の島から構成されているが、生産力が十分に発達していなかったときに、島々に小国が林立する状態が続くこと は想像に難くない。それらの小国を一つの「大国」にしたのは、オランダ人植民者である。オランダ人による蚕食の軌跡について、池端雪浦他編(2001)『岩波講座東南アジア史４』では、次のように述べている。

「交易の時代終焉後のオランダ東インド会社にとっての課題は、流通ネットワークの独占から生産ネットワークの独占への移行である。オランダ東インド会社はマタラム（ジャワ島中部に栄えた王国－筆者）の内乱に干渉して、一七世紀の末、西ジャワ高地のプリアンガン地方を領有し、一七四二年には、大部分のジャワ北海岸沿岸地域の支配権を獲得する。一七四六年にはマドゥラ島を占領し、一七七七年までにほぼジャワ全土の支配権を確立する。一八世紀はオランダのジャワが形成された時代である。以後、生産ネットワークの拡大を通じて、一九一〇年代前半までにオランダ領東インドの枠組みが形成され、一九五〇年にはその枠組みの上にインドネシア共和国が生まれた。」 (p.21)

インドネシア共和国は1950年に生まれたが、宗主国オランダから、独立を求めるインドネシアの民族主義運動は20世紀の初頭から始まっていた。1928年第2回インドネシア青年会議が開催され、誓いの中で、次のように、一祖国、一民族、一言語という思想を掲げた。

一、我々インドネシア青年男女は、インドネシアという一つの祖国をもつことを確認する。
二、我々インドネシア青年男女は、インドネシア民族という一つの民族であることを確認する。
三、我々インドネシア青年男女は、インドネシア語という統一言語を使用する。

（「青年の誓い」：https://ja.wikipedia.org/wiki/）

その統一言語を作り上げていく過程で、使用人口が一番多いジャワ島のジャワ語も検討されたようだが、結局、マレーシアに近いスマトラ島で使われていた海峡マレー語が、そのベース言語として選ばれた。

海峡マレー語は、オランダ領東インド時代や、さらにそれをさかのぼる交易の時代にマラッカ海峡の両岸の、現在ではそれぞれマレーシア側とインドネシア側の土地で用いられていた交易語（リングワ・フランカ）で、インドネシアでは、現在のスマトラ島の海峡側がその地域に当たる。だが、何しろ広い地域だけに、互いに微妙にずれたりしているところがあるのは言うまでもない。そこで、独立運動のなかで、インドネシアの活動家たちは、リアウ州(文末の地図参照－筆者)の話し方を、民族統一言語の基準にした。それが、インドネシアが建国してから、一段と精製されて国語になっていったのである。

インドネシアの民族について、外務省のホームページでは「大半がマレー系(ジャワ,スンダ等約300種族)」と記述されている。もっとも、ここで言うマレー系は、いわゆるオーストラロイド系に対しての言い方で、正確に言えば、民族名というよりは人種名である。

その絶対的多数を占めるマレー系の中で、民族を考えると、一番大きいのはジャワ島の中央部および東部に住むジャワ人で、インドネシア総人口の約4割を占める。そして、2番目に大きいのはジャワ島の西部に居住するスンダ人で、こちらは人口全体の15%以上といわれている。その次くらいが、スマトラ島東海岸、ボルネオ島沿岸部に住むマレー人で、現在では500万人以上とされているが、彼らの言語が基礎として形成された海峡マレー語が磨かれて、インドネシアの国語になったわけである。

つまり、インドネシア語のベースは、主体民族というか、その国の最大民族の言語ではないのである。これはたいへんユニークなことであり、他のトップ20言語に見られない特色となっている。

インドネシア　リアウ州

10. 話者数トップ20言語における「一国内型東アジア・東南アジア一強タイプ」の中国語

東アジア・東南アジアの一強タイプのインドネシア語を前節で取り上げたので、この節では13）の日本語と18）のYue Chinese（＜粤＞中国語）について考える。といっても、日本語については、あまり書くことがない。1997年に「アイヌ文化の振興並びにアイヌの伝統等に関する知識の普及及び啓発に関する法律」が成立したが、昨年の2019年4月19日にそれが廃止され、代わりに「アイヌ民族支援法」が新たに作られた。新法では、アイヌの人々の民族としての誇りが尊重される社会の実現を目的に掲げ、伝統的な漁法への規制の緩和なども盛りこまれているが、アイヌ語が国の公用語として規定される条項はなく、つまり、主体民族の言語が日本の「国語」になっていることは変わっていない。そして、主体民族自体も、現在の国土の範囲内で自力で成長したものであり、どちらかというと、ありふれたケースである。

これに対して、中国語は大きく違う。といっても、18）のYue Chinese（＜粤＞中国語）だけを言っているのではなく、今まで数回述べてきたように、主体民族の言語を2）のMandarin Chinese（＜北京官話＞中国語）とともに、一つのChinese（中国語）と見て、取り扱うことにする。敢えて今一度言うと、中国国内であれ、海外の華僑の世界であれ、Yue Chinese(＜粤＞中国語)を話す人たちにとって、Yue Chinese(＜粤＞中国語)とMandarin Chinese（＜北京官話＞中国語）とは、方言と共通語の関係だからである。

それは分かったが、主体民族の言語であるChinese (中国語）が国の公用語とされていることは日本語の事情と同じではないかと、このように考える方が多いのではなかろうか。ここまでは、まずは「はい」と答えたい。ただし、主体民族の形成の性格においては、漢族は日本民族とは大きく違うと言わなければならない。

「漢族」や「漢人」といった言い方は、劉邦と項羽が戦った結果、生まれた漢王朝 (BC 206 ～ AD 220) の「漢」に起源を持つ。つまり、漢王朝が誕生するまでは、「華夏」あるいは「諸夏」といった呼び方しかなかった。「華夏」の「夏」及び「諸夏」の「夏」は紀元前1700年ころまで約400年続いた夏王朝の名前ともちろん無関係ではない。紀元前1700年ころに、その夏王朝が滅び、代わりに殷王朝 (BC1700 ～ 1122) が起こり、この時代に、甲骨文字というものが発明された。骨に刻まれた象形文字である。更に時代が下り、紀元前1122年には殷に代わって、周王朝が起こった。この時の王朝交替は大変重要である。殷人と周人について、中国の「百度」の「漢族」の項 (https://baike.baidu.com/item/%E6%B1%89%E6%97%8F/130605?fr=aladdin) では、

「商王的祖先本是东夷，周王自称其先民为夏人的一支，杂居于戎、狄之间，与羌人关系密切（商の王様の祖先は本来東夷であり、周の王様はその祖先が華夏の一支で、戎・狄と雑居し、羌人と特に関係が密接だと自称している）。」

と書かれている。要は民族が違うということである。これを言語学の見地から、今は亡き京都大学名誉教授の西田龍雄氏が次のように述べている。

「殷人（商族）がどの系統の言葉を話したかは実際には明らかではない。しかし、少なくとも、周民族とは文化面で異なり、言葉の上でもかなりの隔たりを持っていたことは確かであろう。シナ・チベット（漢蔵）語族の比較言語学研究を進めているポール・ベネディクトは『漢蔵語概要』（ケンブリッジ、1972）の結論として、次のように言っている。

“漢語と蔵緬語（チベット・ビルマ語）が系統的に関連するというわれわれの信念は、結局は、それらが多少の基本語根を共有している事実と、それらの語根に音韻上の一般化を設定しうる事実におかねばならない。ここで主張してよいのは、漢蔵語的要素は、漢語の上層部を構成しているようにすぎないことと、その基礎部は別の起源であったことである。歴史的に言うと、周民族は商族が話していた非蔵緬語と融合してしまったか、もしくはたぶんそれに入り込んだ蔵緬語の担い手であったと見做せる。”

ベネディクトは、具体的な論拠を示していないが、この意見を仮に、著者の見方からもう少し普遍的に考えてみると、次のような想定も可能になる。商族の言語は、X系統であるが、その主力部族はSVO型の文構造をとっていて、甲骨文や金文は、すでにのちの中国古典に見られる漢語のような基本構造を備えていた。これに対して、周族の言語は、本来チベット・ビルマ語的な文構造をもっていて、SOVであったが、殷文化圏の一員として金文を採用し、のちに殷王朝を倒し、殷語を共通語とする殷文化圏を受け継ぐに及んで、周民族の言葉自体にもSOV型からSVO型へと移行する大きい変貌がもたらされた。つまり、周民族は殷語の主要な文構造を採用したのである。」

（『東アジア諸言語研究Ⅰ』pp.18-19）

以上の2つの引用から分かるように、現在の漢民族は、殷と周の交替の時期に、東南と西北の全く異なる2種類の民族が融合しているという前史を持つ。そして、紀元前1122年から紀元前221年まで約900年続いた周王朝の時代は、その融合、混血の時代であり、SVO言語を話す東南の殷系民族と西北のSOV言語を話す周系民族が融合、混血した期間だと言えよう。その時点の中国語、上古の中国語になるが、その中にすでにメインはSVO言語でありながら、かなりのSOV言語的要素を持っているのは、その結果であり、また、その証拠でもあろう。

周王朝の後半の約200年間はいわゆる戦国時代で、秦の始皇帝が他の六カ国を滅ぼしていくが、成立した秦王朝は20年にも満たないうちに、上述の漢王朝にとって代わられた。この時点で、「漢人」、あるいは「漢族」が名実ともに成立するが、諸葛孔明の物語が象徴的である三国時代を経て、265年に曹操の部将の司馬家による晋王朝（西晋）が誕生する。この晋王朝（西晋）はたいへん短命で、数十年後に、匈奴（前趙）に国土の大部分を奪われて一旦滅亡し、南遷した一部によって317年に東晋が作られる。その東晋は、揚子江以南にとどまり、国の本来の心臓部である揚子江以北では「五胡十六国」時代が始まる。五胡十六国とは、匈奴・鮮卑・羯・氐・羌という5つの「胡（非漢族の意－筆者）」が立てた16カ国のことで、要するに、かつての漢王朝の中心部である黄河流域は、完全に非漢族の世界になってしまっていた。

このあたりのことは、森安孝夫（2007）『興亡の世界史05　シルクロードと唐帝国』における次の一節を読んでいただくと、より納得していただけるであろう。

「ユーラシア大陸の東部に位置し、悠久の歴史を誇る中国は、常に多言語世界であった。そして、中国史の半分くらいは、支配者層が漢民族ではなく、異民族（中国語で「少数民族」とも呼ばれる非漢民族）であった。例えば五胡十六国・北魏（鮮卑族拓跋氏）・遼（契丹族）・西夏（タングート族）・金（女真族）・元（モンゴル族）・清（満州ジュシェン族）などは誰でもすぐに思いつくであろうが、近年では、北魏を受け継ぐ東魏・西魏・北周・北斉はおろか、隋・唐でさえ、鮮卑系王朝とか「拓跋国家」などといわれている。後者は学問的には陳寅恪が「関隴貴族集団」あるいは「武川軍閥集団」（以下「関隴集団」と略称）というものを提唱し、西魏・北周・隋・唐を関隴集団によって生み出された一連の国家ととらえた学説に近く、その点では中国史研究者にも目新しい説ではなかろう。

関隴集団とは、北魏の国防を担うエリート部隊であった六鎮の出身者、とりわけ武川鎮の出身者（多くは鮮卑族）が、北魏分裂後に関中盆地に移動して在地の豪族と手を組んででき上った胡漢融合集団のことである。西魏の実権を握り、北周王朝を開いた宇文氏、隋を開いた楊氏、唐を開いた李氏はいずれもそこの出身である。しかし従来の関隴集団を標榜する説には、北魏隋唐の歴史を秦漢以来の中国史の自己展開の枠内でとらえようとする中華主義が色濃く残っている。それに対し、鮮卑系王朝とか「拓跋国家」という用語を使う我々は北～中央アジア史に軸を置いている。そしてこの立場からは、唐帝国は決して狭義の漢民族国家ではないと断言できる。」

(pp.138-139)

中国人史家と日本人史家の主張に相違がないわけではない。「北魏隋唐の歴史を秦漢以来の中国史の自己展開の枠内でとらえようとする」中国人史家に対しては、日本人史家は、唐帝国でさえ「決して狭義の漢民族国家ではないと断言」するのである。しかし、リーダーたちが漢民族ではないということに関しては、矛盾しない。

文末の地図を見れば分かるように、異民族の王朝が起こる度に、国土が広がり、当然ながら、「国民」も増える。そして、よく知られているように、その度毎に、異民族の国民は自分たちの言葉を忘れて、「漢語」を話すようになり、漢民族になっていくのである。一方、異民族の王朝が漢民族の王朝に変わったときに、決して国土が増えることはない。

このように、中国の主体民族である漢民族の形成には、異民族の「征服的同化」という側面が強く見られるのである。

なお、以下の 6 枚の地図はそれぞれ、北宋、南宋、元、明、清と中華民国のものである。

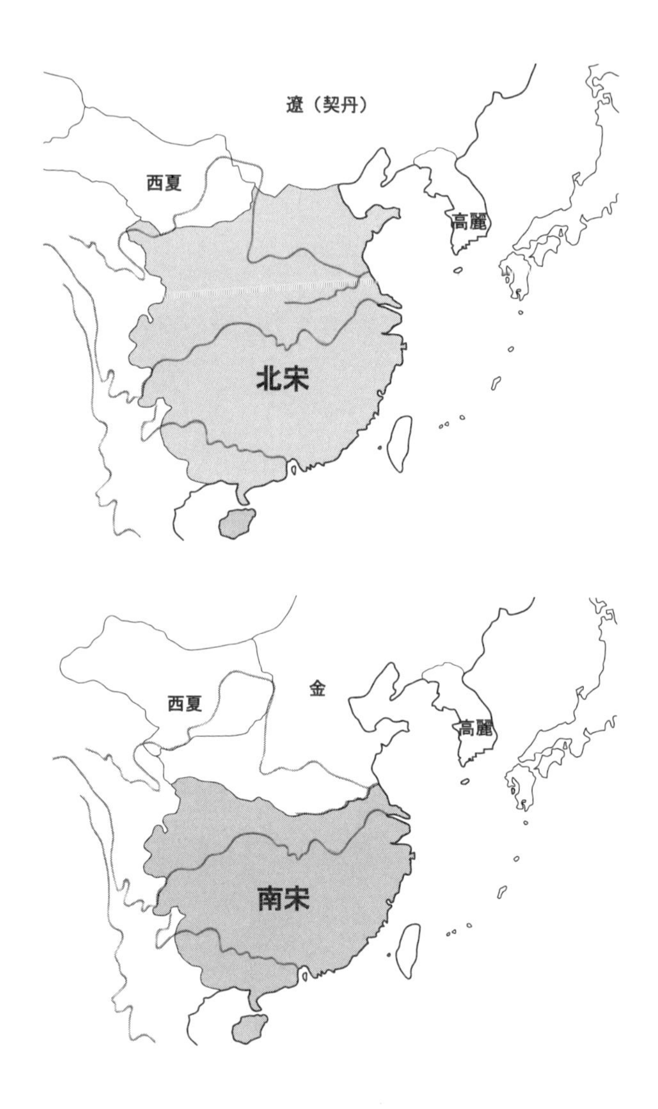
遼（契丹）
西夏
高麗
北宋
西夏
金
高麗
南宋

10. 話者数トップ20言語における「一国内型東アジア・東南アジア一強タイプ」の中国語

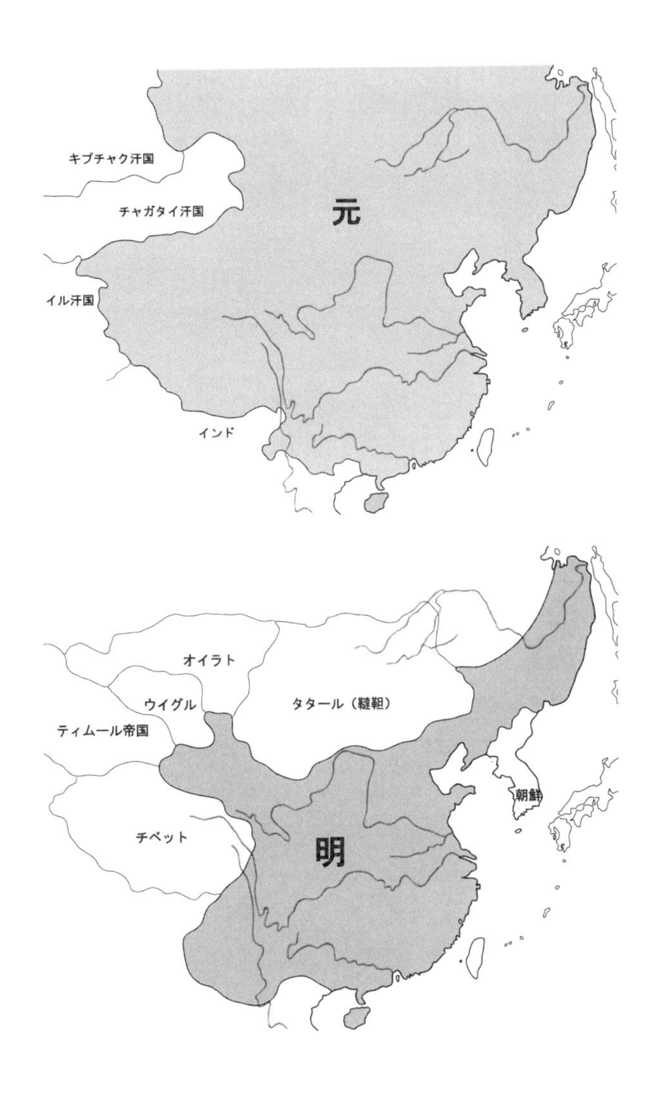

中華民国地図

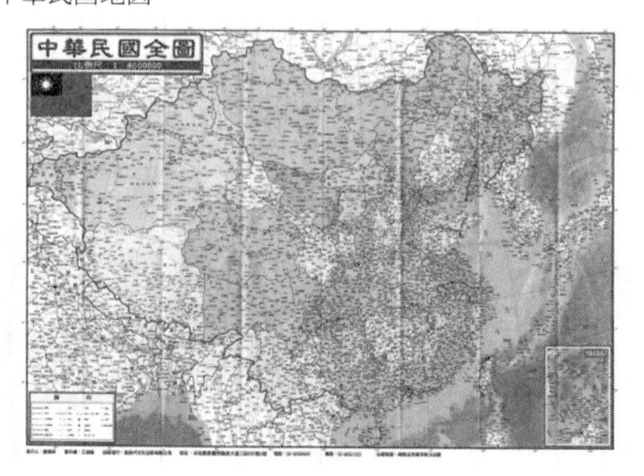

11. 語族から見た話者数トップ 20 言語

話者数トップ 20 言語のなか、何と以下の 11 言語もがインドヨーロッパ語族に属するのである。

1）English（英語）
3）Hindi（ヒンディー語）
4）Spanish（スペイン語）
5）French（フランス語）
7）Bengali（ベンガル語）
8）Russian（ロシア語
9）Portuguese（ポルトガル語）
11）Urdu（ウルドゥー語）
12）Standard German（標準ドイツ語）
15）Marathi（マラティー語）
20）Western Punjabi（パンジャーブ語）

インド・ヨーロッパ語族のなかで、その所属する語派は次の通りである。日本中心の世界地図において、西から東へ、そして、北から南へというように並べての順序である。

①ゲルマン語派：1）English（英語）、12）Standard German（標準ドイツ語）

②イタリック語派：4）Spanish（スペイン語）、5）French（フランス語）、9）Portuguese（ポルトガル語）
③スラヴ語派：8）Russian（ロシア語）
④インド・イラン語派：3）Hindi（ヒンディー語）、7）Bengali（ベンガル語）、11）Urdu（ウルドゥー語）、15）Marathi（マラティー語）、20）Western Punjabi（パンジャーブ語）

かつてアレクサンドロス大王はエジプトなど地中海の南岸までを征服していた。その統治がずっと続いて来ているのならば、そのあたりもインド・ヨーロッパ語族の言語が展開されているはずだが、現在、アラビア半島から地中海の南岸にかけての国々の国語、公用語は、6番目のStandard Arabic（標準アラビア語）で、アフロ・アジア語族のメイン言語である。

アラビア半島から、アデン湾を南に渡れば、アフリカの東海岸になる。一つ目の国のソマリアの公用語はソマリ語とアラビア語になっているが、そのもう少し下のケニアやタンザニアでは、14番目のSwahili（スワヒリ語）の世界になる。前に述べているように、スワヒリ語には、アラビア語の文化語彙がふんだんに入っているが、基礎語彙や文法構造はあくまで土地の言語のものなので、バントゥー語群（バントゥー諸語とも）に属するとされる。バントゥー語族ではなく、バントゥー語群と称されるのは、その一群の言語間の親縁関係がまだ十分に確定されていないからである。

このように、話者数トップ20の大言語は、インド・ヨーロッパ語族、アフロ・アジア語族、バントゥー語群と北から南へと並ぶが、この線上に並んでいるインド・ヨーロッパ語族の言語は、①ゲルマン語派と②イタリック語派のものだけで、これより東に位置する③スラヴ語派のRussian（ロシア語）と④インド・イラン語派の諸言語は、実はつながっているのではなく、チュルク語族の言語によって分断されているのである。

そのチュルク語族の言語を、西から数えれば、トルコ語、アゼルバイジャン語、トルクメン語、ウズベク語、カザフ語、キルギス語のようになる。そして、その一番西のトルコ語は、話者数トップ20言語の17番目にあたる。

インド・ヨーロッパ語族を分断したチュルク語族の人々の原住地については、ウラル山脈以東の草原地帯に求める説が有力で、人種的にはモンゴロイドである。それだけに、中国の史書には「丁零、高車、突厥、沙陀、鉄勒、回鶻」といった民族名として頻繁に登場し、また、「後唐」、「後晋」、「後漢」、「北漢」といった国まで建てている。余談だが、「後唐」、「後晋」、「後漢」

の都はいずれも洛陽であったのに対して、「北漢」（951年– 979年）は規模が小さいためか、都はわたしの故郷である現山西省の省都の太原に作っていた。

では、チュルク系の人たちがなぜ西アジアのアナトリア半島まで下ったのだろうかという疑問が起こると思うが、それはチュルク系の人たちがマムルークになっていたからである。マムルークとは、10世紀以降の、トルコとアラビア半島を中心とするイスラム世界に存在した奴隷身分出身の軍人を指す。中央アジアに安定支配を築いたアッバース朝は、チュルク系の遊牧民を奴隷として購入し、それまでのアラブ人やペルシア人の軍人に代わって、兵隊として使用した。マムルークの誕生である。そのようなマムルークの多用、重用の結果、奴隷の兵隊の中からアミールと呼ばれる中央・地方の軍司令官に上った有力者が生まれ、最終的には彼らが支配者となるマムルーク朝までもが成立した。そのマムルーク朝は、何とエジプトからシリア、ヒジャーズまでの広い地域を支配し、1250年から1517年まで約260年続くに至った。このあたりの歴史を読むと、何となく平家、源氏のことが思い出される。下級軍人が使われているうちに、力をつけて、権力者になっていくというストーリーは大変似ている。ただ、平家や源氏は地形的に限られた空間での上昇だが、チュルク系の人たちは、そのプロセスの中で途方もなく遠いところに移動し、最終的には上述のように、トルコを西の終点とする一連の国家を作ることになった。

そして、移動の結果として、インド・ヨーロッパ語族の言語を分断しただけではなくて、そのトルコ語が、トップ20のなかで17番目にまで勢力を伸ばしている。ちなみに、チュルク系の言語は、かつては、一語派として、モンゴル語派、ツングース語派とともに、アルタイ語族を形成していると考えられていたが、百年に渡る研究者たちの努力があるにもかかわらず、互いに明確な親縁関係がまだ証明されていないので、現在ではそれぞれ個別の語族として考えられるようになっている。

話題を変えるが、チュルク系の言語によって、インド・ヨーロッパ語族の①ゲルマン語派、②イタリック語派、③スラブ語派から分断された、④インド・イラン語派の言語は、現在では、イラン、アフガニスタン、タジキスタン、パキスタン、インド、バングラデシュなどで話されているが、本来はコーカサス地方が原住地だったようである。その彼ら自体も長距離の移動をして、南アジアに入り、インダス川文明を作ったとされるドラビダ人をインドの南端に押していき、現在の分断の局面を作り上げるのに一役買っている。

そして、インドの南端に押されていったドラビダ人もそれで弱まったわけではない。16番目のTelugu（テルグ語）と19番目のTamil（タミル語）が彼らの言語で、彼らの言語自体で、ドラビダ語族を形成している。

このような南アジアの地から、視線を東に移すと、2番目のMandarin Chinese（〈北京官話〉中国語）と18番目のYue Chinese（〈粤〉中国語）が目に留まる。今まで述べてきたように、私たちはこの2言語を1言語として見る立場を取っており、その所属の語族は、シナ・チベット語族である。

中国の南には、東南アジアがあり、その東南アジアの大国であるインドネシアで10番目のインドネシア語が話されている。こちらは、オーストロネシア語族の言語である。

一方、中国から海を渡って東に向かうと、日本である。13番目の日本語は、どの語族にも属さない、語族不明な言語だとされている。文法的には北のツングース語族の言語やモンゴル語族の言語にかなり似ており、語彙のなかでは、特に名詞における音韻的パターンはオーストロネシア語族の言語に近い。だが、基礎語彙において、そのどちらとも対応関係が確定できないために、語族不明と見るほかないのである。

節の最後に、語族から、話者数トップ20言語を表示すると、次のようになる。

◎インド・ヨーロッパ語族 (11) :

○ゲルマン語派 (2) : 1）English（英語）、12）Standard German（標準ドイツ語）

○インド・イラン語派 (5) : 3）Hindi（ヒンディー語）、7）Bengali（ベンガル語）、11）Urdu（ウルドゥー語）、15）Marathi（マラティー語）、20）Western Punjabi（パンジャーブ語）

○イタリック語派 (3) : 4）Spanish（スペイン語）、5）French（フランス語）、9）Portuguese（ポルトガル語）

○バルト・スラヴ語派 (1) : 8）Russian（ロシア語）

◎アフロ・アジア語族 (1) : 6) Standard Arabic（標準アラビア語）

◎バントゥー語群 (1) : 14) Swahili（スワヒリ語）

◎チュルク語族 (1) : 17) Turkish（トルコ語）

◎ドラビダ語族 (2) : 16) Telugu（テルグ語）、19)Tamil（タミル語）

◎シナ・チベット語族 (2) : 2) Mandarin Chinese（<北京官話>中国語）、18) Yue Chinese（<粤>中国語）

◎オーストロネシア語族 (1) : 10）Indonesian（インドネシア語）

◎語族不明 : (1) : 13）Japanese（日本語）

アフロ・アジア語系
ナイル・サハラ語系
ニジェール・コンゴ語系
ニジェール・コンゴ語系
（バントゥー語）
コイサン語系
オーストロネシア語系

アフリカ大陸の言語

12. 語順から見た話者数トップ20言語

前節は「語族から見た話者数トップ20言語」であり、その「語族」という術語は、比較言語学研究のプロセスから生まれている。それに対して、今回のタイトルにおける「語順」は、言語類型論という学問に起源を持つものである。

比較言語学は、世界の言語を、親縁関係の有無に基づいてもろもろの語族に整理し、語族ごとに祖語を再建しようとする学問であり、その捉えようとする親縁関係は、人間社会における血の繋がりを彷彿させる。一方、言語類型論は、言語の「見た目」の異同をとっかかりにタイプ分けをし、タイプごとの類型的特徴やその背後に隠れて存在する普遍性をとらえようとする性格を持つ。あえて例えれば、肌の色に基づいて、黄色人種、黒色人種、白色人種などのようなタイプに分け、白色人種は、肌の色が淡いことと相関して、目は青く、髪は黄色いなどが、その類型的特徴というように研究を進めたり、肌の色といった異なるタイプの背後に存在している人間一般の普遍性を追求していくような感じである。

言語類型論の最初の段階では、言語の形態的な特徴に着眼して、孤立語、膠着語、屈折語などといったタイプを立てていたが、20世紀60年代になると、語順に着眼したスタイルの研究が盛んに行われた。それを主導したのは、Joseph Harold Greenberg(1915-2001年）であり、Greenberg(1963)Universals of Language（Cambridge:MIT Press.pp.58–90) では、他動詞文における主語、目的語と他動詞の相互順序に基づいて、言語をSVO、SOV、VSO、VOS、OSV、OVSの6種類に分け、30言語を実験的に調べ、規則を45作っている。

日本語のようなSOV語順に関する規則で言うと、次に示す4番目がそうである。

4. With overwhelmingly greater than chance frequency, Languages with normal SOV order are postpositional.

大事ではない修辞的な部分を無視して言えば、要は日本語を含む「SOV語順の言語は大抵後置詞を使う」ということである。SOV語順言語というタイプの類型的特徴なのである。

この角度の研究の最新成果は、Dryer, Matthew S. & Haspelmath, Martin (eds.) 2013.(Available online at http://wals.info, Accessed on 2020-11-22.) のチャプター81によって公表されている。世界の言語の分布事情を熟考したうえで、1377言語を選んで丹念に研究して得られた成果である。1377言語の語順は、SOV型が565、SVO型が488、VSO型が95、VOS型が25、OVS型が11、OSV型が4、それから、卓越した語順を持たない言語（Lacking a dominant word order）が189というように確認され、SOV型やSVO型が多く、OVS型やOSV型は珍しい、また、すべての言語に関して、優勢語順を認められるのではないといったことが、その成果の中核をなす。

1377言語も対象にしたので、話者数トップ20言語のような大言語は、当然ながらそれに含まれており、報告しているそれぞれの語順は次のとおりである。

表3

言語名	語順
1 English（英語）	SVO
2 Mandarin Chinese（〈北京官話〉中国語）	SOV
3 Hindi（ヒンディ語）	SOV
4 Spanish（スペイン語）	SVO
5 French（フランス語）	SVO
6 Standard Arabic（標準アラビア語）	VSO
7 Bengali（ベンガル語）	SOV
8 Russian（ロシア語）	SVO
9 Portuguese（ポルトガル語）	SVO
10 Indonesian（インドネシア語）	SVO
11 Urdu（ウルドゥー語）	SOV
12 Standard German（標準ドイツ語）	卓越語順なし

13 Japanese（日本語）	SOV
14 Swahili（スワヒリ語）	SVO
15 Marathi（マラティー語）	SOV
16 Telugu（テルグ語）	SOV
17 Turkish（トルコ語）	SOV
18 Yue Chinese（〈粤〉中国語）	SVO
19 Tamil（タミル語）	SOV
20 Western Punjabi（パンジャーブ語）	SOV

これを前節で整理した語族単位で見直すと、次のようになる。

◎○インド・ヨーロッパ語族ゲルマン語派 (1 → SVO) : 1）English（英語）

◎○インド・ヨーロッパ語族ゲルマン語派 (1 →卓越語順なし) : 12）Standard German（標準ドイツ語）

◎○インド・ヨーロッパ語族インド・イラン語派 (5 → SOV) : 3）Hindi（ヒンディー語）、7）Bengali（ベンガル語）、11）Urdu（ウルドゥー語）、15）Marathi（マラティー語）、20）Western Punjabi（パンジャーブ語）

◎○インド・ヨーロッパ語族○イタリック語派 (3 → SVO) : 4）Spanish（スペイン語）、5）French（フランス語）、9）Portuguese（ポルトガル語）

◎○バルト・スラヴ語派 (1 → SVO) : 8）Russian（ロシア語）

◎アフロ・アジア語族 (1 → VSO) : 6) Standard Arabic（標準アラビア語）

◎バントゥー語群 (1 → SVO) : 14) Swahili（スワヒリ語）

◎チュルク語族 (1 → SOV) : 17) Turkish（トルコ語）

◎ドラビダ語族 (2 → SOV) : 16) Telugu（テルグ語）、19)Tamil（タミル語）

◎漢・チベット語族 (2 → SVO) : 2) Mandarin Chinese（〈北京官話〉中国語）、18) Yue Chinese（〈粤〉中国語）

◎オーストロネシア語族 (1 → SOV) : 10 Indonesian（インドネシア語）

◎語族不明 : (1 → SOV) : 13 Japanese（日本語）

この結果を見て、おそらく誰もが、インド・ヨーロッパ語族 4 語派の言語がなぜ SVO、卓越語順なし、及び SOV の 3 種類にわたって存在しているのかということが気になるであろう。以下、このことについて検討してみる。

まず、同じインド・ヨーロッパ語族ゲルマン語派に属する英語とドイツ語がそれぞれ SVO と卓越語順なしに分かれているが、英語は、その史的研究で明らかにされているように、古英語、中英語、近代英語を通して大きく変わったのである。つまり、英語と同じ西ゲルマン語群に属し、親縁関係で近いオランダ語やドイツ語は、「卓越語順なし」なのである。

ただし、卓越語順なしと一口に言っても、タイプがいくつかあるようで、ゲルマン語派西ゲルマン語群の言語、つまり、ドイツ語やオランダ語の場合は、定動詞が常に文頭から2番目の位置を占めるということで、卓越語順なしという現象を生んでいる。主語が文頭に来ても、目的語が文頭に来ても、あるいは副詞が文頭に来ても、動詞が常に2番目の位置に来るから、一つのパターンに収まらないのである。しかし、副詞はともかく、主語、目的語と動詞の3者だけを問題にすると、動詞が2番目に来るということは、SVOかOVSの語順を持つことを意味する。このように考えると、SVOからそれほど離れているのでもないと考えてもよいのかもしれない。

英語、ドイツ語の異様さについて、このような角度の議論で解決すると、あとは、なぜ、インド・ヨーロッパ語族インド・イラン語派の5言語がSOVになっているかという疑問が残る。以下、この点について考えてみることにする。

インド・ヨーロッパ語族の提唱は、ウィリアム・ジョーンズ(1746-1794)が嚆矢とされる。氏がイギリス東インド会社の判事として赴任した時、インドはムスリムのムガル朝であり、公用語はペルシア語であった。しかし、氏はペルシア語を介さずに直接サンスクリットに触れたので、その語彙の音韻や格変化が、古典ギリシャ語やラテン語とたいへん似ていることに気づくこととなり、それを踏まえて、3 言語が共通の起源を持つと主張し、主張は広く認められるに至った。

そのインド・ヨーロッパ語族の一語派としてのインド・イラン語派であるが、亀井孝、河野六郎、千野栄一編 (1988)『言語学大辞典　第一巻』(三省堂) では、次のように述べている。

「インド・イラン語派は、バルト、スラヴ両語派とともに印欧語の satəm 群を形成し、そのもっとも東に位置している。そして、この語派とバルト、スラヴ両語派との間には、いくつかの共通の特徴が認められる。(略―筆者)

バルト、スラヴ両語派との接触以上に、インド・イラン語派の先史時代にとって重要なものは、フィン・ウゴル語族との関係であろう。(略―筆者) フィン・ウゴル語とインド・イラン語の話し手が、先史時代にかなり密接な関係があったことを思わせる事実がある。それは、フィン・ウゴル語が、インド・イラン語から借用したと考えられる多くの語彙の存在である。」

(pp.710-711)

フィン・ウゴル語族の言語というと、その語順について、小泉保(2004)『ウラル語統語論』(大学書林)では、(1)SOV型言語と(2)非SOV型言語という2つの型が認められるとされている(p.258)。どちらかというと、SOV型が顕著であることは、SOV型かそうでないかという分け方からも滲み出ている。これに対して、『ウィキペディア(Wikipedia)』のフィン・ウゴル語派の項(https://ja.wikipedia.org/wiki/%E3%83%95%E3%82%A3%E3%83%B3%E3%83%BB%E3%82%A6%E3%82%B4%E3%83%AB%E8%AA%9E%E6%B4%BE)では、「語順は基本的にはSOV型だったかもしれないが、フィンランド語ではSVO型が普通となっており、ハンガリー語では語順で主題・評言関係を表すためSOV、SVO、VOS等の語順が存在し、一見、決まった語順がないようにすら見える」と記述されている。こちらではかつてはSOV型だったと考えられているようである。

地理的な分布から考えてみると、フィン・ウゴル語族の言語は、通常、ウゴル諸語(Ugric)、バルト・フィン諸語、オビ・ウゴル諸語、ペルム諸語などに分けられているが、より西側に分布し、インド・イラン語派から遠いウゴル諸語(Ugric)及びバルト・フィン諸語は非SOV型で、より東側に分布し、インド・イラン語派に地理的に近いオビ・ウゴル諸語やペルム諸語の言語はSOV型である。

このように、インド・ヨーロッパ語族インド・イラン語派の 5 言語が SOV である事実を、フィン・ウゴル語族言語とのつながりで考えれば、まんざら納得できないこともなかろう。

13. 名詞の形態的特徴から見た話者数トップ 20 言語

前節で述べたように、言語類型論では、最初の段階では、言語の形態的な特徴に着眼して、孤立語、膠着語、屈折語などといったタイプを立てていたが、20 世紀 60 年代になって、語順に着眼したスタイルの研究が盛んに行われた。孤立語、膠着語、屈折語などといった形態的タイプでは、世界の言語を綺麗に分けられないことが分かったからである。

この点について、一番早く声をあげたのは Sapir のようである。Sapir (1921) < 以下、安藤貞雄訳 (1998)『言語―言葉の研究序説』を使用 > では、世界の言語のすべてを、「孤立的」、「膠着的」、「屈折的」、「多総合的」の 4 タイプのいずれかに割り当てることが現実的に不可能だとし、その理由を次のように述べている。

> 「ある言語が膠着的であると同時に屈折的であり、屈折的であると同時に多総合的であり、さらに、多総合的であると同時に孤立的であることさえ、ありうるのだ。」(安藤貞雄訳 1998:212)

そして、このようなことを踏まえて、「孤立的」、「膠着的」、「屈折的」といったタイプ分けにとって代わるものではないと断ったうえで、言語を「分析的」、「総合的」、「多総合的」という別の基準で分けることを提案している。

言語を「分析的」、「総合的」、「多総合的」という別の基準で分けることに関しては、Comrie（1989）によって受け継がれており、本書でも次節で述べることになっている。それに対して、本節では、言語を丸ごといずれかのタイプに振り分けることができないと分かった時点での、もう一つの探索的なアプローチを紹介する。言語を丸ごとではなく、名詞は名詞、動詞は動詞というように、いくつかの重要な品詞を別々に検討していくというアプローチである。

海外の事例よりも、日本国内の日本語についての研究が分かりやすいので、以下、まず鈴木重幸氏の研究を見る。鈴木重幸（1972）『日本語文法・形態論』では、その第1部序論の序説において、次のように述べられており、同（1996）『形態論・序説』も同じ立場である。

「動詞の文法的な形は、

yom-u　kak-u
yom-o　kak-o
yom-e　kak-e

のような語尾のとりかえ（屈折）という文法的な手つづきによってつくられる。名詞の文法的

な形は、

yama=ga　umi=ga

yama=o　umi=o

yama=ni　umi=ni

のようなくっつきのとりつけ（膠着）という文法的な手続きによってつくられる。」　(p.38)

また、以下に示すように城田俊（1998）も同じ考え方である。

「動詞は主に屈折とも見える形態変化によって文法意味を示すのに対し、名詞は膠着的手段で文法上の関係を表す。」　(p.1)

動詞と名詞の形態的特徴を別々に検討することは、著名な Bickel, Balthasar and Nichols, Johanna（2007）Inflectional Morphology.（ Shopen, Timothy（ed.）2007. *Language Typology and Syntactic Description 3 Grammatical Categories and the Lexicon.*）など欧米の一線的研究においても同じであるが、Bickel, Balthasar and Nichols, Johanna（2007）では、いわゆる従来の孤立、膠着、屈折といった概念を大きく変えて研究を進めている。しかし、定着するまでにはもうすこし時間がかかりそう

である。一方、上述の日本語についての研究は、まだ、言語類型論的な意味を持てるようになっているとは言えない。

したがって、本稿では、トップ20言語を孤立、膠着といったタイプの代わりに、名詞の格を表すときに、名詞の曲用、言い換えれば、名詞の格語尾という手段を用いるか、それとも、日本語のように、格助詞といった接置詞（adposition）を用いるかによって分けてみる。そして、その結果は次のとおりである。

表4

言語名	語順	格表示の手段
1 English（英語）	SVO	接置詞
2 Mandarin Chinese（＜北京官話＞中国語）	SVO	接置詞
3 Hindi（ヒンディー語）	SOV	格語尾
4 Spanish（スペイン語）	SVO	接置詞
5 French（フランス語）	SVO	接置詞
6 Standard Arabic（標準アラビア語）	VSO	格語尾
7 Bengali（ベンガル語）	SOV	格語尾
8 Russian（ロシア語）	SVO	格語尾
9 Portuguese（ポルトガル語）	SVO	接置詞
10 Indonesian（インドネシア語）	SVO	接置詞

11 Urdu（ウルドゥー語）	SOV	格語尾
12 Standard German（標準ドイツ語）	卓越語順なし	格語尾
13 Japanese（日本語）	SOV	接置詞
14 Swahili（スワヒリ語）	SVO	格語尾も設置詞もない
15 Marathi（マラティー語）	SOV	格語尾
16 Telugu（テルグ語）	SOV	格語尾
17 Turkish（トルコ語）	SOV	格語尾
18 Yue Chinese（〈粤〉中国語）	SVO	接置詞
19 Tamil（タミル語）	SOV	格語尾
20 Western Punjabi（パンジャーブ語）	SOV	格語尾

格語尾という手段を持つ言語では、すべて主格、対格、与格という主要な3格の表示は整っている。一方、接置詞という手段を持つ言語の場合は、日本語のように、「が、を、に」を持っている言語もあるが、英語のように、主格、対格を表わす接置詞がなく、そのために、人称代名詞を除けば、主格と対格を表わし分けるのに、語順が重要になってくる。

だが、面白いことに、20言語のなかで、英語のようなタイプは、以下のように、7言語あり、すべてSVO型である。

1 English（英語） SVO 接置詞

2 Mandarin Chinese（〈北京官話〉中国語） SVO 接置詞

4 Spanish（スペイン語） SVO 接置詞

5 French（フランス語） SVO 接置詞

9 Portuguese（ポルトガル語） SVO 接置詞

10 Indonesian（インドネシア語） SVO 接置詞

18 Yue Chinese（〈粤〉中国語） SVO 接置詞

この主格、対格を弁別する手段がないことと語順の関係をより深く理解していただくために、次の町田健(2015)『フランス語文法総解説』(研究社)の一節を読んでおこう。ラテン語から変化してきたフランス語の話である。

「名詞についても、語形変化は大きく単純化し、特に主語と目的語を名詞の形態で区別することがなくなった。主語と目的語の語形が同じであると、語順によって両者を区別する以外の方法はない。このため、現代フランス語では、「主語+動詞+目的語」という語順が基本語順となっている。この基本語順は、同じように主語と目的語を語形によって区別しない英語やスペイン語などの言語と同様である。主語や目的語が名詞の形態によって明確に表されていたラテン語の語順は比較的に自由であり、このような文の構造を作る規則に関しては、フランス語とラテン語と大きく異なる特徴を示している。基本語順が決まっているため、主語と動詞の倒置のような、基本語順とは異なる語順が、疑問や強調などを表す働きをするのも、フランス語の語順の特徴である。」 (pp.3-4)

そこで、一つ大胆な仮説を提示したい。SVO 言語が成立するための重要な「動機」は、主語と目的語を語形によって区別できないことを克服することにあるという仮説である。

格語尾を持っているロシア語も SVO ではないかとすぐにでも反論が起きるであろう。だが、英語などに比べて、ロシア語の語順がかなり自由であることはネットでもよく議論されており、例えば「ロシア語講座：初級」(http://rossia.web.fc2.com/sp/yazyk/nachalnyy/e03.html）では丁寧に述べられている。語順が比較的に柔軟でありながら、SVO と判定されたのは、SVO の語順が多用されているからなのである。

では、主語や目的語が名詞の形態によって明確に表されている言語において、SVO になったり、SOV になったりする理由は何なのかと聞かれそうだが、それは、動詞の形が関係しているのではないかと思われる。

このことについては、次節で述べることにする。

最後にSwahili（スワヒリ語）について少し触れる。格語尾も接置詞もないということで、一見上述のSVO接置詞7言語と似ていそうだが、実はそうではない。Swahili（スワヒリ語）の主語や目的語になる名詞には、何のマークもないが、実はその動詞の接頭辞という形で、主語の性格と目的語の性格が表し分けられているので、上述の7言語に入らないのである。

以下、小森淳子(2009)『世界の言語シリーズ1 スワヒリ語』における動詞の構造の図を引用してこのことを示しておく。

主語接辞 − 時制接辞 −(目的語接辞)− **動詞語根** −(派生接辞)− 語尾

(p21)

日本語からは想像しにくいが、これが一つの動詞である。小森淳子(2009)では、このようなスワヒリ語の性格について、次のように述べているのである。

「スワヒリ語の動詞は「動詞語根」が中心で、それにさまざまな接辞がつけられる。そのような接辞がついた動詞1つで、いわゆる普通の「文」になることもできる。」　(p21)

14. 動詞の構造から見た話者数トップ20言語

前節の節末で、以下の、小森淳子(2009)におけるスワヒリ語の動詞構造図を示したので、本節では引き続き話者数トップ20言語を動詞の構造という角度から検討していく。

主語接辞－時制接辞－(目的語接辞)－動詞語根－(派生接辞)－語尾

とはいえ、本節は決してスワヒリ語の動詞のありかたに引きずられて書くものではない。言語類型論の本筋の話として、前節で、Sapir（1921）が「孤立的」、「膠着的」、「屈折的」とは一線を画く「分析的」、「総合的」、「多総合的」といった言語のタイプ分けを提案し、その提案がComrie（1989）によって受け継がれたと述べたが、そのComrie（1989）の受け継ぎ方を以下にまずかいつまんで紹介する。ちなみに、Comrie（1989）とは、Comrie,Bernard.1989.Language Universals and Linguistic Typology: Syntax and Morphology.（Second edition.University of Chicago Press）のことである。ただ、以下は、その日本語訳である松本克己・山本秀樹訳(1992)『言語普遍性と言語類型論』を使う。

Comrie（1989）の紹介は、その孤立、膠着、屈折の3分類に関する用語の精密化を図ったことから始める必要がある。以下のように、氏は「屈折」をやめて、

代わりに融合的 (fusional) を使おうではないかと提案したのである。

> 「融合的 (fusional) という用語の代わりに，屈折的 (flectional あるいは in-flectional とも) という用語が，同じ意味で使われることがある。本書では，用語上の混乱を引き起こすことのないように，この言い方はとっていない。つまり，孤立的言語と対照的に，膠着的言語と融合的言語はどちらも屈折を持っているわけであり，そのため，この 2 つのタイプの一方だけを「屈折」((in) flectional)) を基にした用語を使うことは，誤解を招く恐れがある。その代わりに，融合的という用語を使えば，この術語上の問題はうまく解決できる。」　(松本克己・山本秀樹訳 (1992:46))

そして、このように言い出した「融合」と Sapir (1921) の「総合的」、「多総合的」における「綜合」という 2 つの用語を生かし、従来の、言語を孤立、膠着、屈折という単一のパラメーターによってとらえるやり方の代わりに、以下のように、2 つのパラメーターを用いて取り扱う提案をしたのである。

> 「要するに，ここで示唆されることは，あらゆる形態的タイプをカバーするように意図された

単一のパラメーターという観点で形態的類型論を扱うことはやめて，むしろ，2つのパラメーターで考えていくべきだということである。このパラメーターのひとつは，単語ごとの形態素の数で，その2つの極が孤立型と多総合型ということになる。もうひとつのパラメーターは，単語内部の形態素がどの程度容易に分割できるかというもので，その2つの極が，膠着(分割はきわめて明瞭)と融合(分割は不可能)である。この2つのパラメーターをそれぞれ，総合の指数，融合の指数と呼ぶことにしよう。

(松本克己・山本秀樹訳(1992:44-48))

総合の指数の「総合」が、Sapir（1921）の言語を「分析的」、「総合的」、「多総合的」に分けるという発想から来ていることは上で述べた通りである。そして、ここで押さえておかなければならないのは、「その2つの極が孤立型と多総合型ということになる」（再掲）が、両極の間にいろいろな段階が存在しているということである。

すこし詳しく述べると、中国語、タイ語、ベトナム語のように、基本語彙の多くが一つの形態素からなっている単音節語の場合は孤立型で、一方、宮岡伯人(2015)『「語」とはなにか・再考』（p.335）であげている次のエピック語のように、一単語が10以上の形態素からなっている場合は多総合型である。

・qayar-pa-li-yu-kapigte-llru-nri-caaq-sungnarq-a-at-nga
(カヤック・大きい・作る・願望・強度・完了・否定・逆現実・推測・他動詞/彼ら/私に)

そして、「孤立」と「総合」、及び「総合」と「多総合」をどう区別するかということについては、Comrie (1989) では明確に述べられていないが、私自身は、日本語の「せる・させる」のような通常「使役」と呼ばれているものが、動詞の構造に組み込まれているかどうかということをまずは「孤立」と「総合」の見分け目としたい。以下の、小西友七編集主幹 (2009)『ウィズダム和英辞典』(第5刷) における以下の例を見られたい。

・わたしは彼らにその部屋を掃除させた。
・I made(had) them clean the room.

同じ意味を表わす日本語と英語ではあるが、日本語では、「させた」は前の動詞である「掃除」にくっついて、一つのかたまりになっているが、英語の made あるいは had は、clean との間に them を挟んで使われているので、明らかに独立した形である。

以下の同じ意味の次の中国語においても、「せる・させる」に当たる「让」は英語の made(had) に似ており、「掃除」あたる「打扫」とは、離れて使われている。

・我让他们打扫了房间。

学生にこの話をしたときに、英語の made(had) や中国語の「让」は動詞で、日本語の「せる・させる」は助動詞だから、当たり前じゃないかという反応があったが、若い学生のこの種の「かわいい」論法は、実は本末転倒である。

日本語の助動詞と一口に言っても、その範囲は学説によって異なる。以下、日本語学会編（2018）『日本語学大辞典』のリストを引用しておく。

「「れる」「られる」＜受身・可能・自発・尊敬＞、「せる」「させる」＜使役＞、「ない」「ぬ」「ん」＜否定＞、「う」「よう」「だろう」＜推量＞、「まい」＜否定推量＞、「たい」＜願望＞、「た」＜過去・完了＞、「だ」「です」＜断定＞、「です」「ます」＜丁寧＞、「ようだ」「そうだ」＜様態＞、「かもしれない」「にちがいない」「はずだ」「らしい」＜推定＞、「そうだ」「らしい」＜伝聞＞、「ようだ」＜比況＞」　(p.540)

このリストを一通り見れば分かるように、「だろう」だけは、次のように、それだけでも使うことが可能だが、それ以外はすべて何かとくっついて使うしか考えられない。

甲:(乙の作ったロボットを指して)、こいつ、賢いね！
乙：でしょ？

日本国内の研究者が、日本語のネイティブに対して、日本語だけに関して、例えば「が」「を」「に」「で」の類との違いを説明するために、以上のリストに入っている「話し手の気持ちを表すもの」を一括して、助動詞と呼ぶのなら、それはそれで構わない。しかし、言語普遍的に、語と、語を構成する形態素とを区別して語るのならば、宮岡伯人 (2015)『「語」とはなにか・再考』のように、「だろう」を除く、以上のリストのものは、語を構成する形態素の一種としての接尾辞と見るしかない。このくだりまで読んでいただくと、明治時代の山田孝雄博士がすでに「複語尾」といった術語を使っているのではないかという反論が聞こえてきそうだが、文法学史上の功績を批評する性格を持たない本書では、2020年の現在に手に入りやすいという意味で、宮岡伯人 (2015) をあげたに過ぎないと考えていただきたい。

話題をもとに戻すが、使役の意味を表わす形は、それ自体が一語になっている言語もあれば、動詞を構成する形態素になっている言語もある。言語を丸ごとタイプ分けするのをやめて、品詞ごとに考えるようになっている今、筆者は、このことを、言語の動詞が「孤立型」か「総合型」かを分ける基準としたいが、この種の理論的な話の賛成・反対はともかくとして、とりあえず以下のトップ20言語の実態を確認しよう。

表5

言語名	語順	使役の表示手段
1 English（英語）	SVO	語
2 Mandarin Chinese（<北京官話>中国語）	SVO	語
3 Hindi（ヒンディー語）	SOV	形態素
4 Spanish（スペイン語）	SVO	語
5 French（フランス語）	SVO	語
6 Standard Arabic（標準アラビア語）	VSO	形態素
7 Bengali（ベンガル語）	SOV	形態素
8 Russian（ロシア語）	SVO	語
9 Portuguese（ポルトガル語）	SVO	語
10 Indonesian（インドネシア語）	SVO	語

11 Urdu（ウルドゥー語）	SOV	形態素
12 Standard German（標準ドイツ語）	卓越語順なし	定動詞節では語
13 Japanese（日本語）	SOV	形態素
14 Swahili（スワヒリ語）	SVO	形態素
15 Marathi（マラティー語）	SOV	形態素
16 Telugu（テルグ語）	SOV	形態素
17 Turkish（トルコ語）	SOV	形態素
18 Yue Chinese（〈粤〉中国語）	SVO	語
19 Tamil（タミル語）	SOV	形態素
20 Western Punjabi（パンジャーブ語）	SOV	形態素

これで分かるように、VSO語順のStandard Arabic（標準アラビア語）、「卓越語順なし」のStandard German（標準ドイツ語）、それから、SVO語順のスワヒリ語を除くと、残る17言語のうち、SVO語順の8言語の使役表示は語で、SOV語順9言語の使役表示は形態素であることが分かっていただけるかと思う。

言語類型論の文献を全部読んだとはとても言えないが、少なくとも、これまでに読んだ文献においては、この現象を指摘しているのを見たことがない。この現象を整理すると、次のようになる。

⑴ SOV：

使役者＋被使役者＋目的語 ＋ {動詞語幹＋使役語尾}

Aは ＋ Bに ＋ 部屋を＋ 掃か ＋ せた

⑵ SVO：

使役者＋使役動詞＋被使役者＋ 動詞 ＋ 目的語

A ＋ had ＋ B ＋ clean ＋ the room.

しかし、SOVだから、使役表示が動詞の後に位置し、時間がたつにつれて、前の動詞と溶け合って語幹・語尾の関係になったのか、それとも、そもそも語幹・語尾の関係だから、SOV語順が守られているのか。ニワトリが先かたまごが先かと似たようなテーマであり、その徹底的な探求は、今後の研究が待たれる。本書においては、話をこのあたりで終わらせておく。

最後に、変わり者のスワヒリ語について少し触れておこう。動詞とその要求する名詞句の間の格関係を表示する文法手段がヘッド（head）についているか、それとも、従属部（dependent）についているかによって言語は、二分されている。もっとも、現在綿密な研究が施されている言語の多くはヘッド（head）についているHead marking Languageで、本書で取り扱っている話者数トップ20言語のうちの19がそうである。つまり、唯一スワヒリ語は後者の従属部（dependent）につく Dependent marking　Language 言語である。したがって、日本語から見ても、英語から見ても、変わっている部分が多く見られ、上述のように、SVO でありながら、使役表示が形態素になっているというのも、その「非日常性」の一斑として見ることにする。そして、研究論文ではない本書では、というよりも、現在の筆者の力ではこれ以上深入りすることができないので、この辺りでペンを置く。

15. 改めて日本語について

本書は日本語が占める話者数順位から書き始めている。これで話者数トップ20言語をいくつかの角度から一通り見たので、最後にはやはり日本語に戻ることにする。

話者数トップ20言語に成長した日本語の歴史、文化的事情は、大方の常識である。比較言語学的に見れば、日本語はどの語族にも属さない「孤児」言語であり、言語類型論の語順から見れば日本語はSOV言語であることも、どちらかというと、常識の域を出ない。ただ一つ、動詞の構造という角度から見て、日本語は使役表示が語ではなく、語を構成する形態素であることだけは、一般言語学の立場から日本語を見ていない方々にはすこし目新しいかもしれない。

だとすれば、日本語についてはあまりにも言及出来ていないのではないかと言われそうだが、その通りである。本書は、「世界における話者数20言語」の全貌を描きたかったものであり、日本語の中身については、『アジアのなかの日本語』という別の一冊を実は用意している。『アジアのなかの日本語』は、日本語に関する比較言語学の成果を生かしたうえ、仮説を立てては、それを検証して得た結果をまとめる一集となる。それをスケッチするには、まず比較言語学の成果について触れる必要がある。

日本語に関する比較言語学的研究は、現在も細々と続けられてきているが、1970年代までにあげられた成果を大きく書き換えるまでには至っていない。1978年に世に問うた『岩波講座日本語』12巻本の最後の一巻として刊行された『岩波講座日本語12 日本語の系統と歴史』では、次のように、大家の方々の論文が収められ、当該研究の締めくくりとなっていると考えられる。

1　言語の系統と形成　（風間喜代三）
2　アルタイ語系統論　（池上二良）
3　南方諸語との系統的関係　（崎山理）
4　朝鮮語と日本語　（大江孝男）
5　アイヌ語と日本語　（田村すゞ子）
6　チベット・ビルマ語と日本語　（西田龍雄）
7　日本語の系統論史　（佐々木隆）
8　日本語の語源　（阪倉篤義）
9　地名の起源　（鏡味明克）

9本のうち、前の7本が比較言語学の文献であり、7つ目の佐々木隆「日本語の系統論史」はそのまとめだと言える。この論文は、

一　導言

二　日本語系統論の現状とその環境

三　日本語系統論のあゆみ

四　結語

の4つの部分からなっており、「二　日本語系統論のあゆみ」はさらに6つの節に分かれ、6つ目の現在の日本語系統論において、学界で認められそうな学説を紹介している。この節の冒頭の部分を次にすこし引用する。

「現在における日本語系統論の第一としてあげらるべきは、ポリワーノフの研究に関連してすでに簡単に言及した（第4節）ところの、村山七郎による“アルタイ語”とマライ・ポリネシア語との“混合語”説であろう。

村山は、昭和二十（一九四五年）年代から日本語の系統研究に精力的にとりくみ、現在までかずおおくの論考を発表してきた。(略―筆者)その結論としてつぎのように述べた。

(1)　日本語の系統の問題はウラルアルタイ系か、南島語系か、というように二者択一的に提出することは妥当でない。

⑵　日本語は「ウラルアルタイ的要素」と「南島語的要素」を主な成分として成立したと見られる。この「ウラルアルタイ的要素」は南島語要素とおなじく語頭にrをもたない言語であった。この点からみて、フィン・ウグル系言語と見るべきでなかろう。

⑶　日本列島にはまず南島系言語が到来し、一定の音韻変化（*b → *p）が完了した後でアルタイ系言語が到来したと見られる。

（pp.335-336）

このような比較言語学的な結論を頭に入れて、現代日本語を改めて眺めてみると、確かに文法的に北のほうの、かつてアルタイ語族と呼ばれていたツングース諸語やモンゴル諸語と似ていることに頷くことになる。だが、似ている部分と同時に、大きな相違のいくつかにも気づかないことはない。例えば、ツングース諸語、モンゴル諸語の形容詞は、インド・ヨーロッパ語族、ウラル語族の言語と同じように、名詞型だが、日本語は明らかに動詞型なのである。一方、南島語的要素として、比較言語学の世界では、（*b → *p）のような音韻変化があげられているが、それにとどまらずに、実は母音や子音のありかたや、名詞の語構成などにも、かなり南方のオーストロネシア語族の言語との類似を認めることができる。このような、比較言語学の世界で言及されていない内容を、『アジアのなかの日本語』において取り上げるつもりでいる。

もっとも、南北の言語とのつながりだけではなく、西の中国語とのかかわりについても語ることになる。南北の言語との系統論的な現象とは異なり、千年以上にわたって、日本語は西の中国語の影響を受けてきた。そのために、だれもが知っている漢語語彙に限らず、実は日本語の文法のほうにも中国語からの「移植」と考えられるものがふんだんに見られる。このことに関する記述も『アジアのなかの日本語』の重要な内容の一部をなす。

要するに、日本語の姿を、北、南、西の三方の言語と絡めて描いてみるのが、『アジアのなかの日本語』である。本書を読んでくださった方々が、あきれず懲りずに、『アジアのなかの日本語』のほうも手に取ってくだされば、望外の喜びである。

◆著者紹介◆

張 麟声（ちょう りんせい）

大阪府立大学教授 文学博士

略歴

1956 年中国山西省生まれ。

立命館アジア太平洋大学教授を経て、2004 年 4 月 1 日から現職。

主な著書

『汉日对比研究与日语教学』, 高等教育出版社 (中国), 2016 年 3 月.

『新版日中ことばの漢ちがい』, 日中言語文化出版社, 2016 年 1 月.

『新版中国語話者のための日本語教育研究入門』, 日中言語文化出版社, 2011 年 9 月.

『中国語話者のための日本語教育研究入門』, 大阪公立大学共同出版会, 2007 年 5 月.

『日中ことばの漢ちがい』, くろしお出版, 2004 年 5 月.

『日本語教育のための誤用分析——中国語話者の母語干渉 20 例』, スリーエーネットワーク, 2001 年 10 月.

《汉日语言对比研究》, 北京大学出版社 (中国), 1993 年 11 月.

世界における話者数トップ20言語と日本語

2021年3月25日　初版第1刷発行

著　者　張　麟声

発行者　関谷　一雄
発行所　日中言語文化出版社
〒531-0074大阪市北区本庄東2丁目13番21号
電　話：06-6485-2406
ＦＡＸ：06-6371-2303
印刷所：有限会社 扶桑印刷社

ISBN978－4－905013－66－2